Guillaume Renaud

Un espion dans Québec

Sonia Marmen

Guillaume Renaud
Un espion dans Québec

roman historique

Tome 1

LES ÉDITIONS DE LA BAGNOLE
Collection **GAZOLINE**

Guillaume Renaud, Un espion dans Québec (tome 1) a été publié sous la direction de Jennifer Tremblay.

Conception graphique et mise en pages : Folio infographie
Révision et correction d'épreuves : Annie Pronovost
et Richard Roch
Collaboration spéciale : Ève Christian
Illustration et cartes : Stéphane Desmeules
Photo : Karine Patry

ISBN 978-2-923342-13-9
Dépôt légal 2007
Bibliothèque et Archives nationales du Québec
Bibliothèque nationale du Canada

Les Éditions de la Bagnole
Case postale 88090
Longueuil (Québec) J4H 4C8
www.leseditionsdelabagnole.com

Les Éditions de la Bagnole remercient de leur soutien financier le
Conseil des Arts du Canada et la Société de développement des
entreprises culturelles du Québec (SODEC).

Pour Guillaume, mon neveu,
que cette aventure soit la tienne.

Québec, Nouvelle-France, le 11 juillet 1759

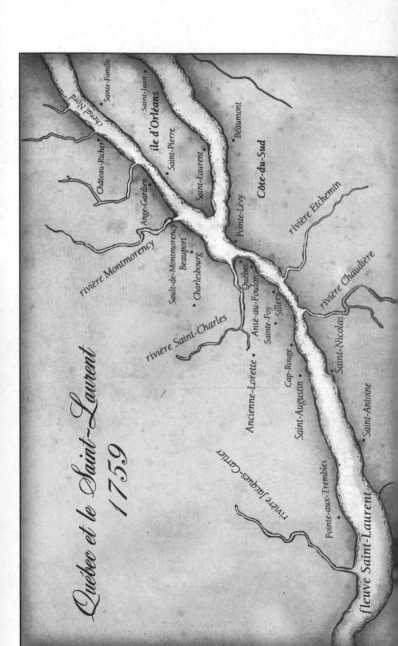

Québec et le Saint-Laurent
1759

Chenal Nord
Sainte-Famille
Saint-Jean
île d'Orléans
Saint-Pierre
Saint-Laurent
Château-Richer
Ange-Gardien
Beaumont
Côte-du-Sud
rivière Montmorency
Pointe-Lévy
rivière Etchemin
Sault-de-Montmorency
Beauport
Charlesbourg
Québec
Anse-au-Foulon
Sainte-Foy
Sillery
rivière Chaudière
rivière Saint-Charles
Saint-Nicolas
Ancienne-Lorette
Cap-Rouge
Saint-Augustin
Saint-Antoine
rivière Jacques-Cartier
Pointe-aux-Trembles
fleuve Saint-Laurent

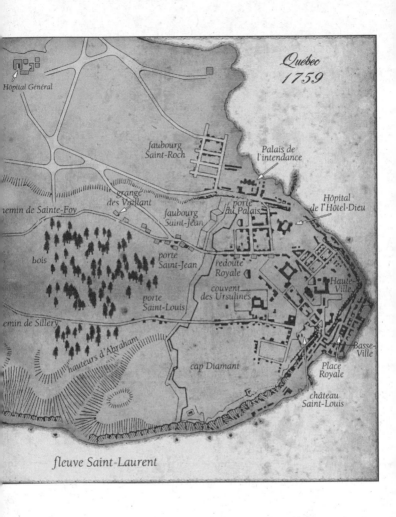

Québec
1759

Hôpital Général

faubourg
Saint-Roch

Palais de
l'intendance

grange
des Vaillant

chemin de Sainte-Foy

porte
du Palais

Hôpital
de l'Hôtel-Dieu

faubourg
Saint-Jean

bois

porte
Saint-Jean

redoute
Royale

Haute-
Ville

porte
Saint-Louis

couvent
des Ursulines

chemin de Sillery

hauteurs d'Abraham

Basse-
Ville

cap Diamant

Place
Royale

château
Saint-Louis

fleuve Saint-Laurent

Chapitre 1

Les conspirateurs

— Pan! Pan! fait le soldat en lâchant d'un coup la bande de cuir qu'il pinçait entre ses doigts.

Le projectile fend l'air en sifflant et touche sa cible, qui pousse un hurlement de douleur.

— Je l'ai eu! En plein dans le mille! crie l'attaquant, fier de lui.

— Eh bien, mon brave Guillaume! résonne une voix derrière lui. Tu mérites d'être promu commandant du bataillon d'élite. Entre les deux yeux, c'est pas mal visé.

En geignant, le blessé fuit en direction de la clôture de bois qui sépare la cour des Renaud de celle des Couture.

— C'est qui le poltron? Hein? De nous deux, c'est qui le poltron? gronde sourdement Guillaume.

Armant son lance-pierre d'un nouveau projectile, Guillaume quitte la protection de la vieille remise et se met à la poursuite de l'ennemi. Mais le voyant se retrancher dans la cuisine des Couture, il renonce à s'aventurer plus loin et regagne la

sécurité de son abri. De là, l'œil noir de frustra-
tion collé aux planches vermoulues, il surveille
par une fente le champ de bataille désert.
L'attente est courte.

— Torrieu de bout de ficelle! L'armée anglaise
a envoyé des renforts! grince-t-il entre ses dents
sans quitter des yeux la silhouette qui s'approche
dangereusement de leur redoute, l'air menaçant.

— Je te parie un sou que la mère Couture va
chercher à te chauffer les oreilles comme
jamais...

Un sourire s'étirant sur son visage barbouillé
de boue et de bran de scie, Guillaume se retourne
vers son capitaine. Émeline est occupée à
renouer le ruban rose dans ses boucles emmê-
lées et sa robe est toute poussiéreuse.

— Seulement si elle arrive à me mettre le
grappin dessus, lui dit-il.

Après avoir rangé son arme dans la poche de
sa culotte de toile dépenaillée et replacé son
tricorne tout bosselé sur son crâne, il donne un
solide coup de pied contre le mur du fond. Deux
planches cèdent. La lumière vive du soleil de
juillet qui s'empresse d'envahir les lieux les fait
cligner des yeux. Quelques secondes plus tard,
la porte s'ouvre dans un claquement, soulevant
un nuage de poussière. Prise d'une quinte de

toux, la mère de Jacquelin Couture se penche dans l'appentis et plisse les paupières pour mieux voir : la remise est vide. Elle est la seule à entendre son affreux juron.

La place Royale bouillonne d'une activité semblable à celle d'un jour de marché. Si la menace rôde en dehors des murs de la ville, ici la vie suit son cours normal. Les deux amis courent en louvoyant dans la cohue. Par plusieurs coups d'œil par-dessus son épaule, Guillaume s'assure qu'ils ne sont pas poursuivis. Essoufflé, il s'adosse au socle du buste du roi Louis XIV. Il peut être tranquille jusqu'à l'heure du souper. Sa mère sera alors au courant de son méfait. Il ira probablement au lit avec un bol de bouillon et du pain sec comme seul repas.

Son regard furète dans la foule tandis que les méchancetés de Jacquelin continuent de lui marteler l'esprit. « Je ne suis pas un poltron ! » se répète-t-il encore. « Et je peux le prouver... » Assez rapidement, il repère un homme qui fait mine d'examiner la qualité du cuir d'une botte sur l'étal du cordonnier Guyon. La poche de son justaucorps est gonflée par un objet, et il croit deviner de quoi il s'agit. En voilà un qui ne doit certainement pas manquer de bon pain blanc moelleux sur sa table, songe Guillaume pour se déculpabiliser du geste qu'il s'apprête à commettre. Attrapant la main d'Émeline, il l'entraîne avec lui à travers la place jusqu'au client qu'il bouscule avant de continuer son chemin sans s'excuser. L'homme se retourne, le poing en l'air, dans le but évident de l'admonester. Mais Guillaume et Émeline ont déjà disparu derrière une charrette dans la rue Notre-Dame et ne s'arrêtent qu'une fois rendus dans la ruelle du Saut-au-Matelot.

— Tu peux m'expliquer ce qui t'a pris ? s'exclame Émeline.

Pliée en deux, elle cherche à reprendre son souffle.

Un large sourire illumine le visage excité de Guillaume. Après avoir vérifié que personne ne pouvait les voir, il brandit un petit sac de cuir et le secoue, faisant tinter son contenu devant la frimousse toute rouge d'une Émeline éberluée.

— Tiens ! La preuve que je ne suis pas un poltron ! clame-t-il, fier de son coup. J'ai réussi à prendre ça dans la poche du monsieur sans qu'il...

— Guillaume ! s'écrie Émeline, scandalisée. Ce n'est pas une bonne façon de démontrer ta bravoure. De plus, tu l'as fait bien vainement : Jacquelin n'était même pas là pour te voir. Tu vas tout de suite rendre cette bourse à...

Des voix d'hommes leur parvenant du côté de la rivière Saint-Charles coupent court aux remontrances d'Émeline. Pressentant le danger, Guillaume la pousse dans un obscur portique. L'un contre l'autre, le cœur battant de la crainte d'être découverts, ils attendent en écoutant le crissement des semelles sur le gravillon. Le bruit s'arrête.

— ... et il *é* arrivé ce *matine* même... chuchote l'une des voix dans un français fortement teinté par un accent étranger. Il veut rencontrer vous... *secretly, I mean*[1].

«Un Anglais», conclut aussitôt Guillaume en frémissant. Un Anglais à Québec? Un loup se faufile dans la bergerie! Depuis la création des colonies en terre d'Amérique, Blancs et Indiens, Anglais et Français se querellent. Tout petit, lors des veillées, Guillaume a souvent écouté son grand-père, Louis Renaud, raconter avec passion ses exploits guerriers contre les Anglais. Ces «maudits Anglais!» comme il les appelait toujours, une lueur de haine dans le regard. Guillaume en est naturellement venu à considérer ces voisins du sud comme de dangereux méchants.

Même si la guerre, qui fait rage entre la France et l'Angleterre, dure depuis un bon moment déjà, le tonnerre des canons n'a jusqu'à ce jour résonné qu'à des lieues de Québec. L'idée qu'une réelle

---

1. «Secrètement, je veux dire.»

menace puisse peser sur la capitale de la Nouvelle-France paraît donc improbable à Guillaume. Louis Renaud n'a-t-il pas d'ailleurs affirmé que Québec est imprenable parce que la ville bénéficie de la protection de la Vierge Marie, patronne de la paroisse?

Mais voilà qu'il y a deux semaines, c'est-à-dire le 27 juin de l'an 1759, l'imposante flotte du général Wolfe a jeté l'ancre dans le bassin de Québec, et les troupes anglaises ont débarqué sur l'île d'Orléans. Depuis, les habitants vivent dans une peur perpétuelle, et Guillaume craint cette nouvelle menace autant que les autres. L'insouciance de la jeunesse connaît des limites face à une telle réalité. Des navires anglais, il y en a des dizaines de dizaines, et chacun d'eux, il le sait pour avoir entendu les adultes le déclarer, contient des centaines d'hommes armés de mousquets, prêts pour le combat.

— Ici, à Québec? demande la voix d'un interlocuteur.

Au son de cette voix-là, indubitablement française, les yeux de Guillaume s'arrondissent.

— *No, it's too risky*[2]...

— Où, alors? Je ne veux pas m'exposer... vous comprenez... ma position et...

---

2. « Non, c'est trop dangereux. »

— Votre position, ricane sinistrement l'étranger, donne à vous *no* choix, vous conviendrez. *Now here is what Stobo wants from you*[3]... Il indique à vous l'heure et lieu du rendez-vous. *Also* les renseignements qu'il a besoin. Broulez ce message après avoir lou.

— Mais, c'est... je ne peux pas...

— Souvenez-vous du fort Duquesne, *Sir*...

Guillaume fronce les sourcils. Un long silence suit pendant lequel les noms de Duquesne et de Stobo font écho dans sa tête et soulèvent en lui des émotions désagréables. Le capitaine Robert Stobo était un prisonnier anglais gardé au fort Duquesne[4] avant d'être amené à la prison de Québec, d'où il s'est évadé en mai dernier. Stobo est la cause de la disgrâce de son père...

— *Be sure you have all the information requested*[5], ajoute péremptoirement l'étranger.

Le Français marque un moment d'hésitation.

— D'accord, j'y serai, réplique-t-il dans un soupir résigné.

---

3. « Maintenant voici ce que Stobo veut de vous... »
4. Fortification militaire construite par l'armée française en territoire anglais et qui est aujourd'hui le site de la ville américaine de Pittsburgh, en Pennsylvanie.
5. « Assurez-vous d'avoir toute l'information demandée. »

— *Very well*[6]... Je souhaite un bon journée à vous, *Sir. And remember*[7]... Je connais pas vous et vous connaissez pas *me*.

— Vous êtes déjà tout oublié.

S'ensuit un autre silence. Des bruits de pas s'éloignent ensuite. Un mélange de peur et d'ahurissement crispe le ventre de Guillaume. Il croise les yeux écarquillés de son amie. Il est sur le point d'ouvrir la bouche quand il entend des bottes qui remuent les gravillons. Les pas viennent dans leur direction. Si on les découvre ici, c'en est fini d'eux.

Guillaume s'enfonce plus profondément dans l'ombre du portique avec Émeline, qu'il garde si bien serrée contre lui qu'il peut sentir battre son cœur. Une silhouette passe devant leurs yeux terrifiés tel un spectre gris.

— Tu sais qui c'est? demande Émeline sur un ton qui ne cache rien de sa crainte.

— Euh... non.

— Que peut bien fabriquer l'un de nos compatriotes avec un Anglais?

Le visage de Guillaume se froisse pendant qu'il médite sur la question. Il n'a pas tout compris de la conversation, qui était chuchotée, mais il en a

---

6. « Très bien... »
7. « Et rappelez-vous... »

entendu suffisamment pour tirer une conclusion. Pendant un moment, les deux amis n'entendent plus que la rumeur de la Basse-Ville qu'atténuent un peu les criaillements des goélands qui décrivent de larges cercles au-dessus d'eux. La voix flûtée d'Émeline brise le silence.

— Tu crois que c'est un espion ? Et ce Stobo, tu penses qu'il s'agit du même Stobo qui s'est évadé de la prison de l'intendance ?

Guillaume réfléchit. Il n'a pas envie d'évoquer les mauvais souvenirs qui entourent l'affaire Stobo et la disgrâce de son père. De quoi discutait ce Français avec cet Anglais ? Se pouvait-il qu'un compatriote se transforme en espion et aide l'ennemi dans ses desseins d'attaquer Québec ? Sa bouche se tord en tous sens pendant que les hypothèses défilent dans son esprit.

— Émeline, l'affaire est grave, déclare-t-il tout de go. Je pense qu'il faut avertir ton père de ce que nous venons d'entendre.

— Et comment est-ce que je vais lui expliquer ce que je fabriquais dans cette ruelle au lieu d'être sagement en train de répéter mes leçons de solfège chez ma cousine ? rétorque-t-elle du tac au tac en lui opposant un air de défi.

Piqué, Guillaume esquisse une moue agacée. Il avait oublié que les parents d'Émeline la croient chez Marguerite. Elle a passé un marché avec sa cousine : à condition qu'elle soit de retour rue Sainte-Anne avant trois heures de l'après-midi et en échange de quelques victuailles que son amie arrive à subtiliser dans les réserves familiales, Marguerite laisse parfois Émeline disposer à sa guise de ses deux heures de cours de musique. C'est comme ça qu'elle et Guillaume peuvent se retrouver de temps à autre, car les parents d'Émeline lui interdisent de revoir son ami depuis l'accusation de Michel Renaud, le père de Guillaume, dans l'affaire du fort Duquesne. Ses parents lui donnent comme seule raison que ce sont des affaires d'adultes et qu'elle doit leur obéir. Mais Émeline et son ami s'entendent bien et quoi qu'ait fait le père de Guillaume, eux n'ont rien à y voir. Les affaires d'adultes ne regardent que les adultes, justement ! Le subterfuge dure depuis maintenant trois ans. Au grand désespoir de la mère d'Émeline, ses progrès au clavecin avancent à pas de tortue. Qu'importe ! Elle déteste jouer de la musique.

— Et si toi tu racontais tout à ta mère ? Elle saurait à qui s'adresser, par la suite. Au capitaine Giffard, par exemple. Il était l'ami de ton père, non ? Qui sait, on fera peut-être de toi un héros ? On proclamera partout : le brave Guillaume Renaud a sauvé Québec d'une invasion anglaise ! On érigera une statue en ton honneur, comme les Flamands l'ont fait pour le Manneken Pis.

Guillaume lance un regard perplexe vers son amie. Il déteste quand Émeline parle de choses qu'il ne connaît pas.

— C'est quoi, un Manneken Pis ? ose-t-il tout de même demander.

— Le petit garçon qui a sauvé la ville de Bruxelles d'une attaque ennemie il y a environ trois cents ans. C'est une histoire que m'a racontée sœur Adèle. Elle connaît beaucoup de choses fascinantes sur l'histoire de l'Europe. Elle est née là-bas.

Guillaume réfléchit. Émeline a raison. Robert Stobo est un espion anglais, c'est bien connu. Le mieux serait d'avertir immédiatement les autorités. Il repense à l'exploit de ce Manneken quelque chose. Guillaume Renaud, un héros ! Mais le croira-t-on, lui, le fils d'un traître ? D'ailleurs, ils n'ont pas vraiment vu les deux hommes dans la ruelle, donc ils ne peuvent pas les identifier.

— Finalement, on ne sait pas exactement ce qu'on a entendu, Émeline.

— Un Anglais qui donne un rendez-vous à un Français en cachette, si ce n'est pas pour trafiquer des affaires pas correctes, eh bien dis-moi ce que c'est ! Personne ne nous a vus, Guillaume. De quoi as-tu peur ? Qu'est-ce qui se passe ? Il n'y a pas deux minutes, tu me demandais de tout raconter à mon père et maintenant tu ne veux plus rien dire.

Des idées plus troublantes les unes que les autres bombardent encore l'esprit du garçon. « Poltron ! Poltron ! » Les injures proférées par Jacquelin lui reviennent. Fâché de devoir encore jouer le rôle du méchant, celui-ci lui a lancé : « Devant un vrai Anglais, Guillaume Renaud, tu ferais pas autant le fantasse[8]. Poltron comme tu es, tu ferais certaine-ment dans ta culotte ! » Tricheur, peut-être, pense Guillaume. Mais pas poltron ! Même s'il est vrai qu'il s'arrange toujours pour marquer discrètement d'une manière ou d'une autre la brindille la plus courte quand ils tirent leurs rôles au sort, ça ne donne pas le droit à Jacquelin de le traiter de la sorte.

Guillaume donne un violent coup de pied dans l'une des nombreuses galettes de schiste qui se détachent de l'abrupte paroi rocheuse qui jette son ombre sur la ruelle. La galette éclate sous l'impact, s'éparpille, et il marche rageusement sur les mor-ceaux, terminant de les réduire en miettes. Il y a un vrai Anglais dans la ville, et il ne fera rien ? Il n'est pas un poltron ! C'est seulement que...

— Torrieu de crotte de chien ! lance-t-il tout haut. On ne sait même pas où ni quand doit avoir lieu ce rendez-vous. Alors quoi ? On pensera que je raconte n'importe quoi juste pour me rendre intéressant.

Il pense surtout qu'il risque de ridiculiser davan-tage le nom des Renaud. Sans plus tarder, il prend

---

8. Fanfaron.

la direction du marché, Émeline trottinant derrière lui. Comme l'a suggéré son amie, il pourrait toujours en glisser un mot à Giffard. Il saurait certainement quoi faire de cette information. Mais Guillaume est persuadé que si Émeline ne l'appuie pas, personne ne le prendra au sérieux. Pas même sa propre mère.

Tout le monde dit de Giffard qu'il est un fervent patriote et un soldat exemplaire. Cela lui a valu l'estime de ses pairs et des promotions au sein de l'armée coloniale. Pendant qu'on destituait Michel Renaud, on offrait à Charles Giffard le grade de capitaine qui aurait dû lui revenir. Giffard a toujours fait preuve d'un comportement réfléchi, irréprochable, tandis que Renaud se laissait trop souvent emporter par son caractère bouillonnant. Mais Guillaume sait que son père n'avait rien à se reprocher. Il portait sa patrie dans son cœur, « à côté de Maman, Jeanne et toi », comme il disait chaque fois qu'il partait en campagne militaire.

Alors, que s'est-il donc passé au fort Duquesne, à la fin de l'été 1755 ? Une lettre hautement compromettante a été découverte sur le corps d'un général de l'armée anglaise mort à la bataille de la Monongahéla[9]. Cette lettre contenait des informations

9. La bataille a eu lieu le 9 juillet 1755. Une partie de la rivière Monongahéla est en Pennsylvanie, territoire situé aujourd'hui aux États-Unis.

secrètes au sujet de l'armée française, mais aussi un plan détaillé du fort Duquesne. Le tout était signé de la main du capitaine Robert Stobo, justement prisonnier des Français dans ce même fort. Les conclusions n'ont pas été longues à venir. Quelqu'un à l'intérieur du fort avait certainement aidé Stobo à faire passer cette lettre à l'ennemi. Au cours de l'enquête, Stobo a prétendu avoir demandé l'aide du lieutenant Renaud, qu'on a finalement accusé d'avoir mis la garnison du fort Duquesne en péril. Or la divulgation d'informations pouvant nuire à la sécurité de la colonie est considérée comme un acte de haute trahison envers le roi de France. Surtout en temps de guerre. Et ce crime est punissable par la mort. Même Giffard, son prétendu ami, n'a rien tenté pour se porter à sa défense.

Finalement, parce que les preuves n'étaient pas suffisantes et parce que trop de témoignages se contredisaient, Michel Renaud n'a pas été condamné pour haute trahison, ce qui lui aurait valu d'être décapité sur la place publique. Cependant, en dépit de son acquittement, la réputation du père de Guillaume était gravement et irrémédiablement entachée. Michel a été renvoyé de l'armée et n'a pas pu se retrouver du travail. Toutes les portes se fermaient sitôt qu'il se montrait le nez chez un artisan ou un commerçant. Après un an d'infructueuses et humiliantes tentatives, Michel rentrait de plus en plus tard à la maison, souvent trop ivre pour se déshabiller avant de se coucher. Au petit matin, il arrivait que Guillaume découvre son père ronflant sur la table. Un beau soir, Michel Renaud n'est pas rentré chez lui. On l'a retrouvé le lendemain matin, mort noyé dans la rivière Saint-Charles.

Guillaume refusera jusqu'à sa propre mort de croire que son père est un traître. Mais si rien ne prouve hors de tout doute la culpabilité de son père, rien ne le met suffisamment hors de cause pour réhabiliter son nom. Il faudrait un miracle, et il sait que les miracles arrivent seulement dans la Bible.

Non, il vaut mieux oublier cette histoire d'espion. Ce sont des affaires d'adultes. Guillaume a ses propres soucis, et celui qui le ronge aujourd'hui est Jacquelin Couture. Il aurait bien aimé que son compagnon le voie prendre la bourse du monsieur sur la place Royale, rien que pour lui prouver qu'il n'a rien d'un poltron et lui faire ravaler ses injures. Il a bien envie de lui clouer le bec une fois pour toutes, à ce blanc-bec.

Il repense à ce qu'il a entendu dans la ruelle. Une idée germe lentement dans son cerveau, et son visage prend une expression satisfaite.

Les deux amis se rapprochent du bruit qui règne sur la place Royale. Guillaume ralentit sa foulée.

Ses narines frémissent. Il tourne la tête et lorgne vers la boulangerie. L'arôme qui parvient jusqu'à lui le fait saliver et le détourne momentanément de l'objet de ses tracas. Dans la vitrine, de petits gâteaux au miel, des croquignoles et des quarterons[10] de pain remplissent les paniers. Il y a si longtemps qu'il n'a pas mordu dans une épaisse et moelleuse tartine beurrée. La disette[11] qui sévit en Nouvelle-France depuis le début des conflits avec l'Angleterre a poussé l'intendant[12] Bigot à diminuer les rations de pain permises par habitant. De plus, Bigot leur impose de se nourrir de viande de cheval. Guillaume refuse d'avaler cette semelle sèche et coriace que lui sert parfois sa mère. Il préfère s'en tenir à la simple volaille et au bon vieux lard mitonné. Pour l'heure, ce sont les belles croquignoles au sucre qui l'intéressent, et le boulanger en demande un prix scandaleusement élevé.

Émeline le rejoint et attend. Guillaume tâte sa poche vide d'argent et se souvient de la bourse volée qu'il a coincée dans sa ceinture. Il la récupère et l'ouvre, faisant glisser son contenu dans sa

---

10. Un quarteron pèse un quart de livre. C'était le poids de pain accordé par habitant par jour.

11. Pénurie de vivres, famine.

12. En Nouvelle-France, l'intendant était responsable de la gestion des finances de la colonie.

paume. Il compte une couronne d'argent et huit sols[13].

— Qu'est-ce que tu vas faire avec ça ? lui demande Émeline, l'air contrarié.

Il a bien envie de se payer une petite gâterie, comme ces croquignoles ou encore des galettes aux raisins secs. Mais il sait que ce ne serait pas bien de profiter égoïstement de cet argent quand il a toujours quelque chose dans son assiette, matin, midi et soir, alors que d'autres n'ont même pas de quoi s'offrir un seul repas quotidien. À contrecœur, il fait disparaître l'argent dans sa poche et se débarrasse de la bourse en l'enfouissant avec le bout de sa chaussure dans l'un des tas d'ordures nauséabonds qui s'accumulent dans la ruelle.

Pendant tout ce temps, Émeline le regarde durement.

— Guillaume Renaud, tu sais que tu aurais pu te faire prendre et te retrouver en prison comme...

— Comme mon père ? l'interrompt abruptement Guillaume. Ne t'en fais pas, Émeline, je vais donner l'argent aux Ursulines pour les pauvres.

Émeline approuve d'un mouvement de la tête, puis, consciente d'avoir blessé son ami, son expression s'adoucit.

---

13. Couronnes et sols : anciennes unités monétaires françaises.

— Excuse-moi, Guillaume. J'ai parlé trop vite.

— C'est ce que tu penses, toi aussi, hein ? Que mon père méritait la prison ? Que je suis un mécréant comme lui ?

— Non, Guillaume ! se défend Émeline avec véhémence.

Émeline Gauthier, son amie « à la vie, à la mort ! », est sincère, Guillaume le sait bien. Mais il n'a pas envie de lui pardonner comme il ne veut pas pardonner les injures de Jacquelin... du moins, pas si vite. Empruntant un air de chef indien, il croise les bras sur sa poitrine et la toise. Alors Émeline roule sa lèvre inférieure entre ses dents et adopte son air de « petit chiot orphelin perdu sous la pluie dans la nuit noire ». Enfin, ce sont les termes qu'emploie sa mère pour désigner son attitude étudiée pour obtenir ce qu'elle veut. Guillaume ne lui a jamais résisté. Et au soupir qu'il laisse échapper, elle sait qu'elle vient de l'emporter encore une fois.

— Allez ! lui lance-t-il en souriant. Je n'ai pas le droit de m'emporter contre toi. C'est contre Jacquelin que j'en ai. Je t'expliquerai mon plan de vengeance sur le chemin du couvent. On verra bien qui de moi ou de lui est le poltron.

Chapitre 2
Le germe de la révolte

La famille Renaud habitait naguère une belle maison de pierre dans la rue Saint Louis, voisine de celle des Gauthier. Après la mort de Michel, Guillaume, sa mère et sa jeune sœur, Jeanne, ont dû emménager dans un logement moins coûteux dans la Basse-Ville, dans la « quand même respectable » rue Saint-Pierre, comme le dit sa mère. C'est un modeste deux-pièces qui occupe la moitié de la maison du marchand Grenet. L'autre moitié sert de magasin au marchand qui habite l'étage supérieur. C'est propre, et il y a un petit poêle en fonte qui les tient au chaud l'hiver.

Guillaume ne se plaint pas du manque de confort comme sa sœur. Il aime la proximité nouvelle du fleuve Saint-Laurent, sur le bord duquel il se rend régulièrement pour admirer les nombreux navires en rade dans le bassin. Il est impressionné par les Indiens qu'il voit souvent arriver en canots des villages environnants pour faire des affaires en ville. L'hiver, les gémissements de la glace qu'il entend la nuit le terrifient autant qu'ils le fascinent. De plus, à son avis, avec l'achalandage du marché et l'activité sur les quais, la Basse-Ville est beaucoup plus animée et intéressante à parcourir que la trop tranquille Haute-Ville. Ce qui le désole vraiment, dans ce déménagement, c'est de ne plus voir Émeline tous les jours comme avant, quand chaque matin il l'accompagnait jusque chez les Ursulines[1] avant de continuer son chemin jusqu'au séminaire, où lui-même étudie. Guillaume en est à sa cinquième année scolaire et, même s'il trouve parfois ses cours ennuyants, il fait de gros efforts pour les réussir. Il sait tous les sacrifices que fait sa mère pour que sa sœur et lui obtiennent une éducation correcte et qu'ils n'aient jamais faim.

Catherine Renaud soupire de lassitude. Elle regarde les cheveux de son fils et résiste à la tentation de les caresser. Il lui cause bien des soucis, son Guillaume. Il ressemble beaucoup à Michel. Obstiné et souvent hardi comme un lion. Pour un gamin de onze ans seulement, il est très courageux. Les épreuves des dernières années le lui ont prouvé à maintes reprises.

— Qu'as-tu fait aujourd'hui ? lui demande-t-elle en déposant un bol de soupe devant lui.

---

1. L'école des Ursulines de Québec a été fondée en 1639, par Marie Guyart de l'Incarnation.

Guillaume ne répond pas. Il se mire dans le liquide fumant. Ce soir, il a droit à cinq morceaux de lard bien gras qui forment des îlots à la surface. Il déchire un morceau de sa portion de pain bis[2] et le laisse tomber dans le bol. Il le regarde se gorger de bouillon et couler comme un navire. Guillaume voit soudain la flotte anglaise dans son bol, et un frisson le secoue. Il a encore le ventre tout noué des émotions de l'après-midi.

— J'ai reçu la visite de la mère de Jacquelin, remarque sa mère en prenant place à la table après avoir servi Jeanne qui attend patiemment de voir comment son frère s'en sortira, cette fois-ci.

Guillaume se renfrogne.

— Il l'a cherché. Il m'a traité de poltron. Il a eu ce qu'il méritait, se défend-il sur un ton bourru.

— Allons, dit sa mère en posant sa main sur son épaule, en te traitant de poltron, je suis certaine que Jacquelin ne voulait pas te blesser. Il jouait l'ennemi, si j'ai bien compris. L'ennemi doit être méchant, non ?

— Peut-être bien, concède Guillaume. Mais il n'avait pas besoin de me traiter de... de poltron.

Un poltron, c'est un peureux ! Guillaume Renaud n'est pas un peureux ! Les Renaud n'ont jamais eu

2. Le pain bis était fabriqué à partir de farines bises, qui contenaient plus de son que les farines blanchies. Ce pain était considéré comme le pain des pauvres.

peur de quoi que ce soit. Ils sont une race d'hommes courageux et loyaux. Pas des poltrons ni des traîtres! Qu'on se le tienne pour dit!

La rage gonfle sa poitrine, et il serre très fort les poings sous la table. Traître! C'est comme ça qu'on a appelé son père à son retour du fort Duquesne.

Guillaume revoit en souvenir le visage de son père, si triste et si défait, à sa sortie du tribunal. Il était acquitté. Il aurait dû s'en réjouir, mais... Le lieutenant Michel Renaud tombé en disgrâce! C'était la honte. Un déshonneur pour l'une des plus anciennes familles de la Nouvelle-France. Leur ancêtre, Guillaume Renaud, un Normand de Saint-Jouin, en France, était un soldat du régiment de Carignan-Salières venu en 1665 mater les Iroquois qui menaçaient les colons français et le commerce des fourrures. Quand la paix a enfin été installée, Louis XIV, le roi de France, que tous appelaient le Roi Soleil, a offert un beau lopin de terre à chaque soldat qui acceptait de demeurer dans la colonie française. C'est ainsi qu'après avoir épousé à Québec Marie de Lamarre, une fille du roi[3], l'arrière-grand-père du jeune Guillaume s'est établi à Charlesbourg.

---

3. Les filles du roi étaient des jeunes Françaises, orphelines ou pauvres, qui étaient en âge de se marier et qu'on envoyait en Nouvelle-France pour épouser des colons et leur assurer une descendance.

La voix maintenant plus sévère de sa mère l'arrache à ses rêveries.

— J'aimerais que tu ailles faire tes excuses après le souper.

— Je ne veux pas aller faire des excuses...

— Guillaume !

— Il méritait que...

— Qu'il mérite ou non une réprimande, ce n'est pas à toi de le décider. Ton geste est aussi condamnable que le sien.

Frustré, Guillaume serre les lèvres.

— Et je veux que tu me donnes ton lance-pierre.

— Quoi ? Maman, non ! Pas mon lance-pierre ! proteste vivement Guillaume en se levant.

— C'est comme ça, le coupe sa mère.

D'un geste rageur, Guillaume se rassoit et plonge sa cuillère dans son bol.

* * *

Après avoir lancé un regard mauvais à Guillaume, la mère Couture appelle son fils. Jacquelin arrive quelques secondes plus tard. Il sort dans la rue rejoindre Guillaume qui attend, l'air penaud.

— Qu'est-ce que tu veux ? lance le garçon en croisant les bras.

— Je suis venu te faire des excuses, répond Guillaume, du bout des lèvres.

Il a horreur de ça. C'est tellement humiliant ! Encore plus humiliant que de se faire traiter de poltron, finalement. Mais il n'a pas le choix, s'il veut récupérer son lance-pierre. Il regarde Jacquelin, qui le dévisage, l'air de se demander s'il se moque de lui.

— C'est vrai, grince Guillaume, je suis venu pour te demander pardon de t'avoir lancé la pierre. Je ne voulais pas vraiment te faire mal. J'ai juste… trop bien visé.

Il remarque la grosse bosse violacée sur le front de son camarade. Il grimace et commence un tout petit peu à être sincèrement désolé.

— Ça fait mal ?

Jacquelin porte sa main à sa blessure. La bosse est presque aussi grosse qu'un œuf de poule.

— Ouais…

— Ouais… répète Guillaume. Ma mère m'a confisqué mon lance-pierre.

Il ne pourra pas jouer avec son lance-pierre avant deux semaines. Deux semaines ! C'est trop long ! Cette punition est des plus sévères, d'autant plus que sa mère sait combien il chérit ce jouet que lui a fabriqué son père peu de temps avant de mourir.

— Alors, tu acceptes mes excuses ou non ?

— Je ne sais pas, répond Jacquelin sur un ton buté qui fait regretter à Guillaume son subit sentiment de culpabilité.

En général, il s'entend assez bien avec son voisin, qui a le même âge que lui. Mais il arrive que l'attitude de supériorité que se donne trop souvent Jacquelin le mette hors de lui. Il sait que la mère Couture rappelle régulièrement à ses enfants que les vices des parents se transmettent à leurs descendants. Il sait aussi qu'en disant ça, elle fait allusion, sans toutefois le nommer, à Michel Renaud. Si elle permet à Jacquelin de fréquenter Guillaume, c'est par charité chrétienne. C'est Jacquelin qui le lui a dit.

— Je veux bien rester ton ami si tu me promets que je ne ferai plus l'Anglais quand on jouera à la guerre, réplique enfin Jacquelin.

Guillaume pince les lèvres et considère son compagnon un moment en silence, réfléchissant à son plan de vengeance échafaudé dans l'après-midi avec Émeline. Il se pare d'un air repentant.

— D'accord. Demain, j'ai l'intention d'aller voir les soldats répéter leurs manœuvres. Est-ce que ça te dirait de venir avec moi ?

— Je ne peux pas, maugrée Jacquelin, tu sais bien que demain je dois aller aider à l'abattoir.

Bien sûr que Guillaume le sait. Le père et l'oncle de Jacquelin sont bouchers. Demain sera jeudi, et les bouchers Couture doivent abattre les nombreuses bêtes qui seront vendues au marché le vendredi dès le lever du soleil.

— Demain après le souper, alors? On pourrait se rendre dans les pâturages derrière le verger des Ursulines et assister aux manœuvres des soldats de la redoute[4].

— Demain après souper? Ouais... je pense que je pourrais.

Un léger sourire retrousse les coins de la bouche de Guillaume.

— Bon... eh bien, on se verra demain, alors. Disons vers huit heures et demie devant la cathédrale.

— C'est bon, dit Jacquelin d'une voix plus enjouée, à demain!

Voilà, tout se met en place, pour le plus grand plaisir de Guillaume.

À son retour chez lui, Guillaume découvre Charles Giffard assis dans le fauteuil préféré de son père, un verre de vin à la main. Il vient rendre visite à Catherine Renaud comme il le fait régulièrement depuis qu'elle est veuve, mais avec plus d'assiduité depuis le début du printemps. Ce soir, il lui a apporté un beau morceau de jambon et une grosse pointe de fromage tout fondant qu'ils mangeront demain. «Quels stupides cadeaux à apporter à une dame qu'on courtise! se dit Guillaume. Il nous traite

---

4. Construction de fortification isolée.

comme des pauvres! Comment Maman peut-elle accepter une telle humiliation?» Guillaume ne comprend rien aux adultes. Il n'aime pas l'air satisfait, un brin suffisant, qu'affiche Giffard quand il leur offre de tels délices en temps de disette. Mais il doit bien reconnaître que, trop souvent, sa mère ne pourrait pas les obtenir autrement.

Charles Giffard sirote son vin tout en discourant sur les batteries ennemies qui se déploient de l'autre côté de la rive, juste en face de la capitale. De son coin de la pièce, où il dispute une partie du jeu de l'oie avec sa sœur Jeanne, Guillaume garde un œil avisé sur l'officier de l'armée canadienne. L'homme lui tourne le dos, et il ne peut pas voir son visage, mais il entend tout de ses propos.

— Vous croyez que leurs boulets peuvent nous atteindre? demande Catherine, inquiète.

— À en croire les ingénieurs...

Giffard n'en dit pas plus, car tous les deux connaissent la déconcertante réponse. Quatre mille pieds seulement séparent les batteries anglaises de la ville. Or les obusiers[5] anglais sont de puissants engins. Réglés par des ingénieurs d'expérience, ils deviennent des instruments destructeurs terribles.

— S'il fallait...

---

5. Canons destinés à tirer des obus. Un obus est un projectile de fer creux rempli d'une charge de poudre qui explose au moment de l'impact.

— Soyez sans crainte, madame, l'interrompt Giffard d'une voix grave, l'aide major général Jean-Daniel Dumas s'occupe à cet instant même d'organiser une expédition dans le but de mettre l'artillerie de la Pointe-Lévy hors d'état de nuire. Nous savons tous que Dumas a prouvé son efficacité à la Monongahéla…

L'évocation de la dernière bataille pendant laquelle s'était si vaillamment battu Michel Renaud jette un malaise dans la pièce. Guillaume observe le visage de sa mère, qu'éclaire la petite lueur de la lampe bec de corbeau[6]. Baissant les yeux, elle laisse un triste sourire ourler sa bouche. Sans doute se remémore-t-elle quelque doux souvenir.

— Pardonnez ma maladresse, murmure Giffard. Je sais combien il vous manque toujours.

Guillaume voit la main de l'officier effleurer le délicat poignet de sa mère et il grimace. Aime-t-elle Giffard? Il ne s'était jamais posé cette question jusqu'ici. Sa mère retire doucement son bras pour resservir du vin à son invité.

— Allons, ma chère amie, continue Giffard sur le même ton, dans quelques jours… semaines, tout au plus, tout ceci ne sera plus qu'un mauvais souvenir. Sans plus craindre de voir ces affreux Anglais

---

6. Lampe en fer forgé dans laquelle on plaçait une mèche dont l'extrémité baignait dans du suif d'animal.

nous tomber dessus comme la manne[7], nous pourrons nous balader librement sur les hauteurs d'Abraham[8] et admirer l'automne peindre notre beau pays de couleurs flamboyantes, dit encore doucereusement le soupirant. D'ici là, je souhaiterais tant que vous acceptiez enfin l'offre de l'hospitalité de ma maison. Je n'y habite guère plus, puisque je passe presque tout mon temps à la garnison. Vous y seriez plus en sécurité, madame.

« *Sa* maison ? » se répète Guillaume dans sa tête. Curieusement, en effet, c'est Giffard qui s'est porté acquéreur de leur belle maison de la rue Saint-Louis quand sa mère l'a mise en vente. Guillaume fronce les sourcils. Impatiente qu'il joue enfin son tour, sa sœur étend sa jambe sous la table et lui donne un coup de pied sur le tibia. Gardant l'oreille tendue, le garçon lance le dé. Il fait avancer son jeton de trois cases sur le plateau de jeu cartonné.

— Je préfère attendre après le mariage, Charles…

---

7. Nom donné à l'éphémère, un insecte qui abonde de mai à juin dans la région des Grands Lacs et dans la vallée du Saint-Laurent.

8. En 1759, les plaines d'Abraham s'appelaient les hauteurs d'Abraham. Le nom vient d'Abraham Martin, un colon qui a reçu une concession sur les hauteurs de la ville de Québec en 1635.

Mariage? Le mot fait sursauter Guillaume sur son siège. Il regarde sa mère, ahuri. Elle soupire et baisse la tête.

Un lourd silence s'installe dans le petit logement. Guillaume sent la colère monter en lui. Il en a assez entendu. Il se lève et, faisant fi des protestations de Jeanne qui réclame en rechignant qu'il termine la partie, il annonce qu'il va prendre un peu d'air.

— Ne va pas trop loin, l'avertit sévèrement sa mère.

— Ouais, je sais, ronchonne Guillaume. Des fois qu'il y aurait un Anglais...

Giffard se raidit et lui lance un regard intéressé.

— Qu'est-ce qui te fait dire ça, petit homme? demande-t-il d'un air inquiet. Tu as vu des ennemis dans Québec?

Guillaume se mord la langue.

— Euh... non, monsieur, bredouille-t-il. Je disais ça comme ça.

Puis il sort sans les saluer. Sa mère le lui reprochera, mais il s'en moque. Il a envie d'être seul. Il ne veut plus jamais revoir Charles Giffard tourner autour de sa mère.

Dehors, il fait encore chaud. Les pierres des maisons serrées les unes contre les autres retiennent la chaleur comme dans un immense four à pain. Les habitants laissent leurs fenêtres ouvertes pour permettre à la fraîcheur du soir d'entrer dans leur logis étouffant. Guillaume entend les pleurs du petit dernier des Couture, ce qui lui rappelle le guet-apens qu'il a tendu à Jacquelin. Il doit finir de mettre son plan au point. Mais pour le moment, il est trop bouleversé pour s'en préoccuper.

Il emprunte la ruelle du Porche et court vers le fleuve, là où l'odeur du fumier et des latrines est moins suffocante, là où l'espace s'ouvre sur un ciel strié de couleurs qui se reflète en ondulant sur la surface calme de l'eau. Il s'arrête sur les galets de la grève, entre la batterie Royale et la batterie du Dauphin. Les canons français sont à leur poste, leur gueule enfoncée dans les créneaux des remparts, prêts à cracher leurs lourds boulets de fer. Les sentinelles en faction vont et viennent, armées de leur mousquet, scrutant le fleuve d'un œil d'aigle. La marée est haute, et des vaguelettes lèchent presque les pieds de Guillaume. Il laisse la brise jouer avec ses cheveux pendant qu'il ravale la grosse boule de sanglots qui lui monte dans la gorge.

— Ce Giffard... s'indigne-t-il. Il a *ma* maison, et maintenant il veut *ma* mère!

Guillaume n'aime pas Charles Giffard. Du plus loin qu'il peut se rappeler, avec ses yeux noirs aussi brillants que ceux d'un rat la nuit, il lui a toujours trouvé un air mystérieux qui lui fait un peu peur. Mais la raison principale de son agressivité envers Giffard, c'est qu'il a laissé tomber son père. « Et Papa est mort de chagrin et de honte. » Jamais Guillaume n'abandonnera Émeline de cette façon. Des amis « à la vie à la mort ! », ça doit se tenir les coudes, s'entraider. Giffard n'a rien fait, rien dit pour venir en aide à Michel Renaud au cours du procès.

— Ce n'est pas un ami, ça ! gronde Guillaume en donnant un coup de pied sur un galet. C'est un traître ! Il n'y a qu'un traître qui peut voler la maison et la femme de son ami.

Il sait que Charles Giffard a déjà été l'un des nombreux prétendants de la belle Catherine Morand. Mais c'est Michel Renaud que Catherine a choisi d'épouser. Guillaume a souvent entendu Giffard taquiner son père à ce sujet.

— C'est parce qu'elle a eu pitié de toi, disait-il en rigolant.

— C'est parce que je suis le plus fin, mon ami ! ripostait Michel en riant.

Évidemment, tous les deux étaient restés de bons amis. Mais une lueur mystérieuse s'allume encore dans les yeux noirs de Charles Giffard quand il regarde sa mère.

Le coucher de soleil fait rougir les escarpements rocheux sur la rive opposée. Guillaume plisse les paupières pour observer les petits points lumineux qui scintillent à la Pointe-Lévy : c'est le camp anglais. Avec la longue-vue de son père, il pourrait sans doute voir les soldats s'activer comme des fourmis rouges à préparer leur œuvre de destruction. L'inquiétude remplace graduellement la colère dans le ventre de Guillaume. Il ne peut pas les voir dans l'obscurité qui s'installe, mais il sait que les canons sont là, pointés sur la ville, sur lui. Il repense à la conversation secrète qu'il a entendue dans la ruelle, et des papillons lui chatouillent maintenant le ventre.

Quelques minutes s'écoulent encore. Le soleil a sombré de l'autre côté de l'horizon, et le ciel se couvre d'un joli voile indigo. Une main se pose sur l'épaule de Guillaume, le faisant tressaillir. Le gamin tourne la tête. Charles Giffard est à ses côtés et sous ses épais sourcils, ses yeux noirs le fixent d'un air bizarre.

— Bonsoir, mon ami. Qu'admires-tu ainsi tout seul dans le crépuscule ?

Guillaume se détourne et ne répond pas. La main de Giffard quitte l'épaule pour ébouriffer la chevelure du garçon.

— Je comprends pourquoi tu viens si souvent te recueillir à cet endroit, avance Giffard après s'être éclairci la voix. La vue y est magnifique.

— Elle serait encore plus belle si ces fichus Anglais ne campaient pas si près, maugrée Guillaume dans un accès d'impatience. Et puis, j'aime cet endroit parce que j'ai la paix quand j'y viens, d'habitude.

Le soldat s'efforce d'ignorer les insolences du gamin. Même s'il pense que Catherine manque parfois d'autorité envers son fil, il sait qu'elle fait du mieux qu'elle peut. Autre chose le préoccupe pour l'instant. Il a vu Guillaume dans la ruelle du Saut-au-Matelot cet après-midi. Qu'a-t-il vu et entendu, au juste ?

— Tu es certain de ne pas m'avoir menti tout à l'heure au sujet d'un Anglais dans la ville, Guillaume ?

Guillaume se fige.

— Je ne suis pas un menteur, ment-il pourtant effrontément.

Les yeux noirs de Giffard le jaugent d'un air soupçonneux. Puis ses traits se détendent.

— Non, certainement pas, ricane-t-il. Allons, bon ! Ta mère souhaite que tu rentres.

— Ouais… fait Guillaume entre ses dents. Je vais rentrer dans une minute.

Il attend que Giffard s'en aille. L'homme reste encore un peu, puis se décide enfin à partir.

— Bonne nuit, Guillaume.

— Bonne nuit, monsieur, s'oblige à grommeler Guillaume.

Le bruit des bottes du soldat sur le gravier s'éloigne, et Guillaume respire plus librement. Tout en observant l'éclat des centaines de tentes de toile blanche sur les hauteurs de Lévy, il songe au lendemain et savoure déjà la revanche qu'il se promet d'avoir sur Jacquelin. Cette pensée le réconforte.

Chapitre 3

Le rendez-vous clandestin

Tout est silencieux dans le logement des Renaud. Catherine est partie avec Jeanne porter les vêtements qu'elle a reprisés pour les soldats de la garnison du cap Diamant. Guillaume est resté au lit parce qu'il souffre d'un mal de ventre qui l'empêche de les accompagner.

Quand il est bien certain qu'il est seul, il se lève et se rend jusqu'au lit de sa mère. Il tire sur le coffre caché en dessous et l'ouvre. Les serrures grincent. Guillaume découvre le contenu qui dégage une odeur de renfermé et de moisissure. Il y a quelques livres, dont un petit catéchisme aux coins effilochés. Il reconnaît le nécessaire de rasage dans son étui de cuir racorni. Une perruque poudrée comme celles que portent les hommes de distinction. Il y a aussi une épée qui a commencé à rouiller, un hausse-col[1] en laiton terni, un tricorne et le

---

1. Pièce de métal qui protégeait la base du cou des militaires.

bel uniforme des Compagnies franches de la Marine[2].

Ce sont des effets ayant appartenu à son père et que sa mère conserve précieusement. Guillaume les revoit pour la première fois depuis qu'elle les a soigneusement rangés. Il pose le chapeau sur sa tête. Il est un peu grand. Il enfile le justaucorps gris pâle aux parements bleus et tourne sur lui-même pour faire voler les basques autour de lui. Le vêtement lui tombe jusque sous les genoux, et ses mains se perdent sous les larges manchettes garnies de boutons dorés. Guillaume se souvient des robustes mains de son père dépassant des délicates dentelles des manches de chemise. Il avait fière allure, le lieutenant Renaud, dans cet uniforme. Guillaume n'a pas de glace pour s'admirer, mais il s'imagine tout aussi élégant que son père.

L'épée chuinte quand il la retire de son fourreau. L'arme au poing, il imite quelques mouvements d'escrime. Mais l'arme est lourde, et il se fatigue rapidement. Puis il s'intéresse à un objet enveloppé dans un morceau de toile huilée. C'est un pistolet à silex. Guillaume le prend précautionneusement et le soulève avec ses deux mains en pointant le

---

2. Les Compagnies franches de la Marine étaient les forces armées coloniales de la Nouvelle-France et se composaient en majorité de Canadiens de naissance.

canon devant lui. Son père a toujours refusé de le laisser le manipuler. C'est dangereux, un pistolet, quand on ne sait pas s'en servir correctement. Bien sûr, Guillaume ne sait pas comment fonctionne une arme à feu. Mais il n'a pas besoin de le savoir. L'arme lui sera seulement utile pour faire plus vrai. Il replace l'épée et le justaucorps dans le coffre. S'il le salissait, sa mère lui passerait un savon dont il se souviendrait longtemps. Il ne conserve que le tricorne, la perruque, le hausse-col et le pistolet. Puis il referme doucement le couvercle et repousse le coffre sous le lit.

C'est ce soir que l'action va se dérouler. Tous les jeudis après le souper, Catherine et ses enfants se rendent à l'Hôtel Dieu aider les sœurs hospitalières à donner des soins aux malades. Avec la guerre, il y a beaucoup plus de blessés. Guillaume déteste cette tâche imposée par sa mère. Mais il s'y plie sans rechigner, car un bon chrétien doit aider son prochain, et que la bonté est toujours récompensée par Dieu un jour ou l'autre. Cette semaine, il fera exception, car son mal de ventre le retiendra au lit toute la soirée. Un faux mal de ventre, bien entendu. C'est le subterfuge qu'il a trouvé pour échapper à cette obligation et mettre son plan à exécution.

Il fait l'inventaire de ce dont il aura besoin : le pistolet, le tricorne, la perruque, une cape, de la corde, un briquet et une lanterne. Il emballe un morceau de jambon et une tranche de pain. Il emportera aussi son canif. Il fourre tout son attirail dans un sac de toile et se glisse hors du logis. Un coup d'œil vers le ciel lui indique que la pluie menace. Il est encore bleu, mais de gros nuages gris roulent vers la ville. Après s'être assuré que personne ne l'observe, Guillaume s'élance dans la cour et cache son sac dans la vieille remise. Puis il se dépêche de rentrer se remettre au lit. Il ne reste plus qu'à attendre l'heure où il ira retrouver Émeline à l'endroit convenu.

Parce qu'il prétend avoir encore mal au ventre, Guillaume n'a droit qu'à une petite portion de viande. Il ne peut surtout pas avoir de biscuits aux raisins secs, offerts par madame Grenet, même si ce sont ses préférés. Sitôt son maigre souper englouti, Guillaume retourne se coucher, son estomac criaillant comme une mouette affamée. Sa mère prend deux tabliers propres dans la grande armoire et les glisse dans son panier. Puis Jeanne et elle se couvrent la tête de leur bonnet blanc empesé.

— Tu restes bien sagement ici, ordonne-t-elle à son fils en l'embrassant sur le front. Grâce à Dieu tu n'es pas fiévreux. Ce doit être seulement un malaise passager.

Les premiers signes d'une maladie inquiètent toujours la mère de Guillaume. La fièvre emporte tant d'enfants et d'adultes sans prévenir... Elle dépose un pichet d'eau et un gobelet sur le sol à côté de la paillasse de Guillaume. Quand il fait froid, ils dorment tous ensemble dans le grand lit garni de courtines. Mais l'été, Guillaume préfère dormir seul sur un lit de fortune installé sur le plancher de la chambre. Il y fait moins chaud.

La porte se referme derrière sa mère et sa sœur. Guillaume attend encore un peu. Il arrive que sa mère oublie quelque chose et revienne le chercher. Mais elle ne revient pas. Alors il se lève et s'habille. Il prend soin de cacher le hausse-col sous son gilet sans manches. Il l'a bien frotté, et il est redevenu tout brillant, comme avant. Après avoir enfilé sa vieille vareuse[3] de laine noire, il sort de la maison aussi silencieusement qu'un chat et se faufile dans la remise pour récupérer le sac de toile. Chez les Couture, on a allumé des lampes. Jacquelin et son père sont rentrés pour le souper. Émeline et lui vont bien rigoler, ce soir.

Le ciel s'obscurcit rapidement, et les ombres se fondent avec la nuit qui s'insinue partout dans les rues de Québec. Guillaume avance au pas de course sur le chemin Sainte-Anne. Il se dépêche, car il ne veut pas faire attendre Émeline. Elle est près du

---

3. Veste assez ample.

mur qui entoure le verger des Ursulines, mais il ne la reconnaît pas. Elle vient vers lui, habillée comme un garçon. Une chemise de lin, une culotte bleu foncé boutonnée sous le genou et une vareuse de laine grise. Elle porte un chapeau rond de feutre noir. Elle a rassemblé ses belles boucles brunes sur sa nuque et les a attachées de la même façon que lui, avec un lacet de cuir.

— Tu as déjà vu un espion anglais avec des jupons ? lui dit-elle en riant de sa mine étonnée. J'ai emprunté les vêtements à mon frère sans qu'il le sache. Il a fallu que je promette ma part de dessert de demain en plus de celle de ce soir à ma sœur Marie pour qu'elle raconte à Maman que je suis sortie aux latrines si elle monte à la chambre avant que je revienne.

C'est qu'elle a l'esprit vif, Émeline Gauthier ! Et elle est courageuse avec ça ! Aussi courageuse qu'un garçon ! C'est pour ça que Guillaume l'aime bien. Il affiche un air content. Émeline et lui se remettent en route et traversent le terrain vague qui longe la redoute Royale. Ils doivent se dépêcher, les soldats ont déjà commencé à exécuter leurs manœuvres militaires. Guillaume les observe et se dit que, si son père était encore vivant, s'il était un lieutenant respecté, il lui achèterait sans doute un grade de cadet-à-l'aiguillette[4]. À cette pensée, il touche le hausse-col

---

4. Officier en formation.

qui pend à son cou et vérifie si Émeline le suit toujours. Par deux fois, elle doit s'arrêter pour replacer la bourre de coton dans les chaussures à boucles d'argent qui sont trop grandes pour elle. Dans le pré d'herbe grasse se dresse la silhouette d'un vieux hangar. C'est là qu'ils se dirigent. Quelle leçon ils vont lui infliger, à ce blanc-bec de Jacquelin !

La porte s'ouvre dans un lugubre craquement de bois. Dans un battement d'ailes, quelque chose les frôle, et Émeline étouffe un cri d'effroi dans sa paume. Il fait très sombre, et on dirait que personne n'est entré ici depuis des années. C'est parfait ! Les dernières lueurs du jour filtrent par les interstices des planches qui forment la toiture et peignent des lames grises sur le sol.

— Je crois que c'est l'endroit que j'aurais choisi pour rencontrer secrètement un espion, murmure Émeline en s'aventurant dans le bâtiment.

— Ouais, c'est chouette, non ? répond Guillaume en déposant son sac.

Il l'ouvre, fouille dedans, prend la lanterne, et en faire jaillir une flamme. Puis il allume la chandelle. Ils se retrouvent aussitôt au cœur d'un halo de lumière ambrée. Des ombres sautillantes se lèvent sur les murs tels des spectres sortant de terre. Pendant un court moment, ni l'un ni l'autre ne dit mot. Ils écoutent la rumeur de la ville qui leur parvient comme un doux murmure.

— Il faut se mettre au travail, fait soudainement observer Guillaume.

L'excitation du jeu lui remue le ventre. Il se concentre sur ce qu'il a à faire. Il balaie l'endroit des yeux pour trouver le matériel dont il aura besoin. Il repère une vieille chaise suspendue au mur. Quoi encore ? Deux planches couchées dans une charrette à laquelle il manque une roue. Et là, de la paille. Quelques minutes plus tard, ils ont réussi à fabriquer une sorte de mannequin, qu'ils ont habillé de la cape, de la perruque et du tricorne de Michel Renaud. Pour finir, Guillaume fait glisser le hausse-col autour du cou du mannequin de paille.

— Je crois que ça devrait suffire, annonce-t-il en jugeant de l'effet de la mise en scène. Toi, tu grimperas sur la chaise. Comme ça, tu paraîtras juste assez grande.

— Et qu'est-ce que je fais, quand tu reviens avec Jacquelin ?

— Eh bien, tu fais semblant de conclure un marché avec ton compère. Tu n'auras qu'à chuchoter et à laisser passer quelques informations comme on en a entendues dans la ruelle. Jacquelin n'y verra que du feu. Ensuite, tu fais mine de t'apercevoir de notre présence, tu sors ton pistolet et tu le pointes sur nous en nous ordonnant de sortir de notre cachette.

L'idée est d'attirer Jacquelin vers le hangar en prétextant avoir vu quelqu'un y entrer. Ensuite, Guillaume se cachera avec son ami, et ils épieront Émeline qui fera semblant d'être un espion. La pénombre la masquera suffisamment pour que Jacquelin ne la reconnaisse pas. Le mannequin sera le deuxième espion, l'Anglais à qui s'adressera Émeline. Après quelques secondes, Guillaume devra provoquer un bruit qui attirera l'attention d'Émeline, l'espion français.

— Tu feras peur à Jacquelin avec ça, annonce-t-il.

C'est à ce moment qu'il sort le pistolet de son père. Il imagine déjà la réaction de Jacquelin quand Émeline pointera l'arme vers lui. Il déguerpira à la vitesse d'un cheval piqué par une guêpe.

— Tu veux que je me serve de ça ? s'exclame Émeline.

Elle fixe l'objet avec des yeux ronds comme des roues de carrosse.

— Les espions ne portent pas de jupons, mais ils possèdent tous des armes, lui explique Guillaume, un brin moqueur.

Émeline accueille la remarque avec une moue offusquée.

— Ne t'en fais pas, il est vide. Tiens, regarde, quand j'appuie sur...

Une détonation terrible ébranle le bâtiment et fait fuir les pigeons qui s'y étaient abrités dans un vacarme qui assourdit le cri d'Émeline. Quand le silence retombe en même temps qu'une pluie de plumes, les deux jeunes entendent les battements de leur cœur tambouriner dans leurs oreilles. Encore sous le choc, Guillaume regarde le pistolet qu'il a laissé tomber à ses pieds. Il n'ose plus bouger. Il voit le trou qu'a fait le projectile dans la terre, à quelques pas seulement d'Émeline.

— Je croyais... je croyais... bégaie-t-il sans arriver à terminer sa phrase.

Des cris leur parviennent de l'extérieur. Le coup de feu a sonné l'alerte. C'est Émeline qui réagit la première. Elle se précipite sur le mannequin, récupère la cape, le tricorne et la perruque et enfouit le tout dans le sac. Guillaume ramasse prestement le pistolet et il est sur le point de souffler la lanterne quand il voit briller le hausse-col oublié sur le mannequin. Il court le reprendre, le fait glisser autour de son cou. Aussi vite que le leur permettent leurs jambes flageolantes, les deux amis s'élancent hors du hangar en direction de la rue Saint-Jean.

Guillaume se retourne. Loin derrière, Émeline tente encore une fois de remettre sa chaussure. Il voit avec horreur les soldats de la redoute venir dans leur direction tandis que d'autres arrivent des remparts.

— Torrieu de vieux crapaud galeux! Ils nous filent le train[5].

Vite, il rebrousse chemin, attrape son amie par le bras et l'entraîne dans sa fuite. Ensemble, ils traversent une cour, tournent l'angle d'une maison et s'engouffrent dans un étroit passage qui les mène jusque dans la rue Saint-Jean.

— Ma chaussure, se plaint Émeline, à bout de souffle.

— Laisse tomber cette fichue godasse! s'exaspère Guillaume en se retournant.

— Elle est à mon frère. Je vais me faire gronder.

— Ce n'est pas son unique paire de... Émeline!

En vain. Elle a disparu dans le passage. Le temps qu'un chat lui file entre les jambes, Guillaume pense prendre la poudre d'escampette sans elle. «Tu n'es pas un lâche, se sermonne-t-il. Émeline est ton amie, et tu ne la laisseras pas tomber comme Giffard a fait avec Papa.»

La fillette surgit près de lui, le teint écarlate, en serrant sa chaussure dans sa main. Dans ses yeux, Guillaume peut lire la peur. Il comprend que le jeu n'a plus rien de drôle. Ils vont se retrouver dans un sacré pétrin si on les prend avec le pistolet dans leur sac. Le plus simple serait de s'en débarrasser.

---

5. Filer le train de quelqu'un, c'est le suivre.

Mais il n'en est pas question : c'est le pistolet de son père. Il en sera quitte pour les galères[6] s'il n'arrive pas à semer ses poursuivants. Et le nom des Renaud sera honni pour l'éternité. Les soldats appellent dans la cour. « Petit Jésus, prie-t-il dans son cœur affolé, aidez-nous à… »

Il n'a pas terminé de formuler sa demande qu'un chariot couvert tiré par un bœuf leur passe sous le nez et continue son chemin cahin-caha vers la porte Saint-Jean. Guillaume saisit sa chance : il saute à l'arrière du véhicule et tend la main à son amie qui le dévisage, paralysée d'effroi.

— Viens ! Fais vite !

Émeline court pour le rejoindre. Elle attrape sa main et se hisse près de lui. Guillaume rabat prestement le coin de toile qui protège la marchandise en prenant soin de se réserver un petit espace pour surveiller leurs arrières. Il voit un, deux, trois, puis quatre soldats faire irruption dans la rue, mousquets à la main. Les hommes regardent d'un côté et de l'autre, puis se dispersent dans toutes les directions.

— Nous… nous l'avons échappé belle, murmure Guillaume en se laissant rouler sur le dos, soulagé.

---

6. La peine des galères était une condamnation à ramer sur les galères du roi. Une galère était un navire propulsé par la force de nombreux rameurs.

— À qui le dis-tu! soupire Émeline.

Les deux amis se regardent pendant un instant de silence. Puis ils éclatent de rire, se félicitant de leur réussite. Le chariot s'immobilise brusquement, coupant court à l'expression de leur joie. Leur estomac se noue d'angoisse quand ils entendent le conducteur discuter avec la sentinelle du corps de garde qui contrôle les allées et venues à la porte Saint-Jean.

— Zut! fait Émeline tout bas. S'ils fouillent le chariot?

— Torrieu de cornes de bouc puant!

Guillaume n'ose même pas y penser. Le temps s'étire sur une éternité pour les deux passagers clandestins, mais il ne s'égrène en fait que quelques secondes. Le chariot se remet finalement en branle sans qu'on vienne les déranger, et cette fois, ils savourent leur bonne fortune avec plus de retenue.

Chapitre 4

Des imprévus

Les cahots de la voiture les secouent rudement, faisant rebondir le sac de toile. Guillaume l'attrape juste au moment où il allait tomber par-dessus bord. Le serrant contre sa poitrine, Guillaume s'appuie contre un baril pendant qu'ils traversent le faubourg Saint-Jean. Il suggère d'attendre encore un peu avant de descendre. Les habitants du faubourg Saint-Jean, où ils se trouvent maintenant, pourraient trouver suspect de voir deux jeunes surgir du chariot comme deux voleurs. Émeline est d'accord, et ils laissent passer un bon moment avant de se laisser glisser hors du chariot.

L'atterrissage se fait assez brutalement, et ils roulent jusque dans le fossé herbeux. Quand ils se relèvent, ils constatent que la nuit leur est tombée dessus sans qu'ils s'en rendent compte. Guillaume regarde autour de lui et cherche des repères familiers dans la pénombre qui les enveloppe. Le vacarme du chariot qui continue sa route sur le chemin de Sainte-Foy s'atténue petit à petit. Ils sont plus éloignés des murs de la ville qu'il ne l'avait estimé. Entre eux et le fleuve se dresse la masse sombre des bois de Sillery. À quelque distance des bois, sur les hauteurs d'Abraham, il distingue vaguement la silhouette d'un moulin. C'est celui de Dumont. Un peu moins loin, du côté droit de la route, se trouvent les restes de la grange des Vaillant ravagée par les flammes l'hiver dernier. Droit devant eux, des flambeaux éclairent les remparts de Québec.

— Bon, ça va, ça va ! se répète-t-il comme pour se rassurer lui-même.

Oui, tout bien compté, ça peut aller. Ils s'en sont sortis intacts et ils ont amplement le temps de rentrer avant le couvre-feu. Guillaume allume la lanterne. Ils se mettent en marche dans le cercle de lumière qui va et vient sur le chemin au rythme des mouvements de son bras. La lune est cachée derrière un épais masque de nuages. L'odeur de la pluie est omniprésente.

— Tu crois qu'il t'attend toujours ?

— Qui ça ? demande Guillaume.

— Eh bien, Jacquelin ! l'éclaire Émeline.

— Aïe ! fait Guillaume.

Il imagine son vilain voisin tout seul sur le parvis de la cathédrale, les mains dans les poches à l'attendre comme un mendiant, et il déclare en riant :

— Tant pis! Je me paierai sa tête une prochaine fois.

Puis il cesse de rire et ne dit plus rien. Ils parcourent plusieurs toises[1] dans le silence le plus complet pendant que, dans leur esprit, repassent les récents événements. Les cailloux crissent sous leurs semelles. Le chant des grillons sonne comme le bourdon sourd d'une musette dans les champs qui les entourent. Une chouette rayée hulule en réponse au chant nasillard d'un engoulevent qui retentit dans les bois. Le furtif battement d'ailes d'une chauve-souris en quête de son repas froisse l'air tout près d'eux. Une nouvelle vie s'installe avec la nuit.

Quelques gouttelettes d'eau s'écrasent en faisant de petits plocs! sur leurs chapeaux pendant que le clocher de la cathédrale Notre-Dame se met à sonner neuf heures. Ils pressent un peu plus le pas.

— Je crois bien que je vais me faire gronder, lâche Émeline. Marie ne peut tout de même pas raconter à Maman que j'ai passé la soirée aux latrines.

— Sans doute que moi aussi, commente Guillaume. Maman rentre toujours aux environs de neuf heures et demie.

---

1. Ancienne unité de mesure équivalant à 1,95 mètre.

— Mais cela en aura valu la peine.

— Oui... c'était quand même chouette.

Guillaume se tourne vers son amie de toujours et lui sourit dans le noir. Il discerne mal les traits d'Émeline, mais il devine qu'elle lui sourit aussi. Elle tâte la manche de sa vareuse jusqu'à sa main, qu'elle serre dans la sienne. Ce geste inattendu, qu'elle a pourtant fait maintes fois auparavant, provoque cette fois-ci chez Guillaume un effet tout drôle.

— J'aime bien être avec toi, ajoute-t-elle pour finir.

Guillaume demeure un moment aphone avant de pouvoir prononcer un mot.

— Moi aussi.

Mais qu'est-ce qu'il vient de dire, là ? « La vérité », lui souffle une petite voix quelque part dans son crâne. Mais qu'est-ce qu'elle va croire ? « Que tu te sens bien avec elle toi aussi. Rien de plus, gros bêta ! » Il se sent rougir comme le fer au feu. Un feu que le ciel a apparemment bien l'intention de refroidir : la pluie se met à tomber avec plus d'intensité, et Émeline et Guillaume se mettent à courir. Quand ils atteignent la grange noircie des Vaillant, ils sont trempés. Il n'est plus question de continuer sous ces trombes d'eau. Il faudra attendre un peu.

Pestant contre la chance qui les a abandonnés, Guillaume inspecte l'endroit pour trouver un abri sec. Il flotte dans la grange une tenace odeur de suie. La toiture, lourdement endommagée lors de l'incendie, laisse apparaître des béances par où s'engouffre la pluie. Il trouve dans un coin des cages à poules vides. Cela devrait leur fournir un abri convenable. Guillaume étend la cape sur la terre battue pour les protéger de l'humidité et il invite Émeline à venir s'asseoir près de lui. L'espace sous les cages est exigu, et ils doivent se coller l'un à l'autre. Cela ramène Guillaume dans la ruelle du Saut-au-Matelot, quand ils ont surpris la conversation entre les deux espions et qu'Émeline s'est blottie contre lui.

L'averse produit un vacarme épouvantable dans la grange qu'elle mitraille sans sembler se fatiguer. Pour passer le temps, les deux amis se racontent des histoires et jouent aux charades. Guillaume a même commencé à imaginer un nouveau piège pour Jacquelin. Quand son ventre crie famine, il se souvient des victuailles qu'il avait prévues dans son sac et les partage avec Émeline, qui dévore sa part à pleines dents. C'est que toute cette aventure leur a ouvert un appétit d'ogre ! Bientôt, ils ont tout avalé, jusqu'aux miettes de pain répandues sur leurs culottes.

Le temps s'écoule sans qu'ils s'en aperçoivent et c'est le lointain son des cloches de la cathédrale perçant l'orage qui les fait réagir. Il est dix heures, l'heure du couvre-feu. Consternés, Guillaume et Émeline se regardent sans se voir dans le noir. La chandelle s'est consumée.

— Qu'est-ce qu'on fait? s'enquiert Émeline. Il pleut encore aussi fort que tout à l'heure. On ne peut tout de même pas passer la nuit ici. Couvrons-nous de la cape et rentrons.

— Elle va se détremper et devenir aussi lourde qu'un chien mort bien avant que nous n'atteignions la porte des remparts. Mais tu as raison. Nous ne pouvons pas rester ici plus longtemps. Nos parents vont mourir d'inquiétude.

Ils commencent à ranger leurs effets dans le sac de toile quand un bruit sourd résonne dans l'air humide et froid. Le sol gronde sous leurs pieds. La main d'Émeline touche l'épaule de Guillaume comme pour s'assurer qu'il est encore là.

— C'était quoi, ça?

— Le tonnerre, je suppose.

— Il n'y a pas eu d'éclair, observe-t-elle après un moment de réflexion.

Un second bruit suivi d'un autre petit tremblement de terre les secoue.

— Ce sont des coups de canon! s'écrie soudain Guillaume.

— Le général Montcalm a enfin décidé de bombarder les Anglais, claironne Émeline en tapant de joie dans ses mains. Papa se demandait justement qu'est-ce qu'il attendait pour renvoyer en Angleterre ces fainéants qui se prélassent sur les hauteurs de Lévy. Leur envoyer quelques boulets aux fesses leur fera certainement du bien.

Guillaume pouffe de rire et s'apprête à répliquer quand un craquement de bois le rend muet.

— Tu as entendu ?

— Quelqu'un vient, chuchote son amie.

Un cheval s'ébroue bruyamment, confirmant l'affirmation d'Émeline. La porte de la grange s'ouvre doucement en faisant grincer ses gonds rouillés. Les yeux ronds d'appréhension, les deux fugitifs attendent à l'abri de l'obscurité.

Ils entendent d'abord le martèlement des sabots du cheval qui pénètre dans le bâtiment. Puis une voix d'homme profère une brochette de jurons qui lui aurait mérité une magistrale taloche derrière la tête de la part de Catherine. Guillaume se retient de rire. Mais il devient complètement ahuri quand une flamme jaillit d'un briquet, lui dévoilant un visage long et mince serti de deux yeux noirs brillants sous d'épais sourcils. Des yeux de rats.

— Mais c'est...

Le reste de la phrase d'Émeline s'étouffe dans la paume de Guillaume. Ils ont tous les deux reconnu Charles Giffard. Ce dernier, incertain d'avoir entendu quelque chose, se tourne dans leur direction. Le briquet allumé se déplace de gauche à droite et de haut en bas dans l'épaisse obscurité. On dirait le vol d'agonie d'un papillon de nuit qui s'est enflammé les ailes après s'être aventuré près du feu. Mais la flamme est trop petite et trop loin pour les éclairer. Le briquet s'éteint d'un coup et tout redevient noir. On n'entend plus que les grondements des canons au loin et le tambourinement continu de la pluie.

Émeline est en colère et gesticule pour se libérer de la main de Guillaume plaquée sur sa bouche. Elle se dit que c'est une chance inouïe que monsieur Giffard se retrouve ici avec son cheval et elle veut en profiter pour rentrer chez elle. Guillaume ne se laisse pas démonter. Il ne sait pas pourquoi, mais il pressent un danger. Émeline le pince à la cuisse, mais il ne bronche pas. Elle cesse enfin de gigoter en entendant le grincement de la porte qui s'ouvre de nouveau. Une seconde silhouette se découpe sur un fond de lueur rouge en même temps que tonne un canon.

— Monsieur? chuchote Giffard en s'avançant vers le nouvel arrivant.

— De quelle couleur est votre cheval? demande ce dernier.

— Il est rouge.

Libérée de son bâillon, Émeline recule vers les cages à poules. Son cœur se met à battre très vite. L'homme a parlé avec un accent bizarre. Cela ressemblait à de l'anglais, à la différence qu'ici, l'homme roulait fortement ses « r » dans sa gorge. Guillaume, lui, plisse le front d'incompréhension. Qu'est-ce que cette histoire de cheval rouge?

— *Rrred. Good. 'Tis the rrright color*[2].

— Vous arrivez bien tôt, monsieur, remarque Giffard sur un ton franchement mécontent.

— Je voulais m'assourer que vous tendez pas une piège à moi, réplique l'autre dans son français laborieux.

— Comme vous pouvez le constater, je suis seul, ronchonne Giffard d'une voix si étouffée que Guillaume la reconnaît à peine.

— *Dinna fash yerself, Saint-Amant*[3]. *Now*, si nous venions à ce qui nous rrréounit ici. Je souis *happy to see* que vous acceptez de colla… *collaborate with me*.

Saint-Amant? Collaborer? Mais de quoi parlent-ils, à la fin?

Giffard grogne.

— Vous ne m'en avez guère laissé le choix, monsieur Stobo.

— Oui, je concède cela à vous. Quoique… *we always have the choice, you know*[4]. Pour nous, les

---

2. « Rouge. Bien. C'est la bonne couleur. »
3. « Ne vous fâchez pas, monsieur Saint-Amant. »
4. « Nous avons toujours le choix, vous savez. »

Écossais[11], choisir *between* la vie et l'hounneur n'a jamais été trrrès *difficult*. Allons, finissons-en, que je rrretourne *to my* canot dans les plous brrrefs délais. Vous avez ce qui m'intéresse ?

— Oui... j'ai tout consigné sur papier, explique Giffard. Enfin, où ai-je mis l'enveloppe... ? Ah ! La voilà ! Il y a le nombre et les positions actuelles des troupes. J'ai indiqué les dates et les trajets prévus pour les convois de transport de vivres qui nous viennent de Montréal et de Trois-Rivières. Il y a aussi la liste de nos navires armés encore présents dans le fleuve. C'est le mieux que j'ai pu découvrir.

— *How* pouis-je m'assourer que ces informations *are true*, Saint-Amant ? demande Stobo avec une note de suspicion dans la voix.

— Quand il y va de votre vie... réplique Giffard amèrement.

— Votre vie... *aye* ! oui, ricane méchamment le Britannique. Enfin, à chacoune la sienne, n'est-ce pas ? Et la vôtre, dépouis notre pétite entente *at Duquesne Fort*, ne vaut pas plous que la corde qui pourrait servir à vous pendre. Toutefois, c'est dommage que Braddock se soit faite touer avec *all my plans* sour lui. Toute cette travail pour rien...

---

5. Robert Stobo était un Écossais. Les Français ne faisaient pas la nuance : les Écossais et les Irlandais étaient aussi des Anglais dans leur esprit.

Guillaume n'en croit pas ses oreilles. Monsieur Giffard alias Saint-Amant est l'espion qu'ils ont épié dans la ruelle! Son cœur se débat comme une petite souris prisonnière des griffes d'un gros matou.

Émeline tremble de peur elle aussi. Et dire qu'elle a été sur le point de dévoiler leur présence. Quelle catastrophe! Elle n'ose même pas imaginer ce qui se serait produit ensuite. Elle n'ose pas...

Elle sent quelque chose monter le long de son mollet. Elle secoue vigoureusement sa jambe en frissonnant de dégoût. Sa chaussure se détache de son pied et va atterrir dans un bruit mat à quelques pas des deux conspirateurs, qui se taisent aussitôt. Un silence tendu retombe sur tous les occupants de la grange. On n'entend plus que le tambourinement de la pluie et le vacarme des bombardements. Pétrifiés de terreur, Émeline et Guillaume ont cessé de respirer. Ils ont l'impression que le temps s'est arrêté.

— Qui est là? *God damn...* Vous n'êtes pas seul, Saint-Amant! tonne l'Écossais. J'aurais dou m'en douter. Une homme qui trrrahit une fois...

Il y a des cliquetis métalliques. Une détonation provoque une lueur qui éclaire brièvement l'intérieur du bâtiment. Quelqu'un a tiré un coup de pistolet. Émeline pousse un cri de terreur et cherche refuge dans les bras de Guillaume, qui

tremble maintenant tout autant qu'elle. Ils entendent des bruits de lutte. Le cheval s'énerve, hennit
et piaffe tandis que quelqu'un le monte. La porte
de la grange s'ouvre dans un fracas, et la monture
et son cavalier s'élancent au galop sous la pluie
battante. La porte reste ouverte, et devant le ciel
qui se teinte d'orange, ils voient une silhouette se
redresser lentement en émettant des jurons étouf-
fés. L'homme se retourne dans leur direction.

— Qui que vous soyez, montrez-vous !

Guillaume a chaud et froid en même temps.
Dans sa bouche, il ne reste plus assez de salive à
avaler. La respiration d'Émeline s'accélère. Elle est
terrifiée comme elle ne l'a jamais été. Guillaume
serre très fort ses mains dans les siennes en pen-
sant : « Tiens bon, Émeline ! Tiens bon ! » Il se
dit aussi : « Ne craque pas, Guillaume ! Si tu cra-
ques, vous êtes perdus. » Ils entendent le long
chuintement d'une lame qui est tirée de son fourreau.

— Sortez de votre cachette, et aucun mal ne
vous sera fait.

Guillaume prie le petit Jésus de l'épargner. Il
n'a que onze ans, après tout. Il mérite d'être puni
pour avoir désobéi à sa mère, mais pas de cette
façon !

Giffard avance un pas à la fois. Guillaume comprend qu'ils sont coincés. Il se tourne vers Émeline,

et son cœur se brise. C'est sa faute. Il voulait seulement s'amuser un peu aux dépens de Jacquelin. Mais tout est allé de travers et maintenant...

— Au nom du roi, je vous commande de sortir de là ou je vous embroche comme un porc sur mon épée.

Guillaume sent le courage le quitter. Une peur sourde le domine, et il se sent... comme le plus misérable des poltrons.

— S'il vous plaît, monsieur Giffard, nous jurons de ne rien dire, supplie-t-il en retenant les sanglots qui lui soulèvent la poitrine.

— Ne nous faites pas de mal, geint Émeline à son tour.

Au son des voix qu'il entend, Giffard fronce les sourcils. Il fouille frénétiquement sa poche pour retrouver son briquet, qu'il allume. Les enfants sortent précautionneusement de leur cachette et avancent jusque dans le cercle de lumière. Ce que découvre Giffard le frappe de stupéfaction.

— Pardi! Guillaume? Émeline? Par tous les diables! Que faites-vous ici?

Il ne fait pas de doute que les enfants ont tout entendu de l'échange qu'il a eu avec Robert Stobo. Qu'allait-il faire d'eux, maintenant?

— Vous allez nous tuer? demande Guillaume d'une voix tremblotante en lorgnant la lame qui brille sinistrement dans la lueur de la flamme.

Indécis, Charles Giffard se gratte la tête. Que fait le fils de Catherine ici? Que convient-il de faire, maintenant? Il ne peut pas laisser les enfants rentrer comme si de rien n'était après ce qui vient de se produire. Leur présence a presque failli tout faire échouer. Le coup de crosse qu'il a reçu sur la tempe l'élance douloureusement. Il comprend qu'il s'en est fallu de peu que Stobo le tue. D'un geste furieux, il leur indique la porte. Il adopte un air menaçant et prend une voix grave.

— Suivez-moi.

Guillaume ramasse son sac de toile. Il bombe le torse et se pare d'un air brave.

— Monsieur Giffard, gardez-moi et laissez partir Émeline, elle ne dira rien, je vous le jure sur la tombe de mon père.

Le capitaine Giffard considère le gamin en silence. Il prend soin de ne rien laisser poindre des sentiments qui l'agitent sous un masque imperturbable.

— Tu serais prêt à te sacrifier pour elle?

Guillaume se mord les lèvres. Il pense à sa mère et à Jeanne, et cela finit de lui ouvrir le cœur en deux. Elles le pleureront certainement. Il regrette seulement de ne pas pouvoir dire à sa mère combien elle se trompe sur le compte de Giffard.

— Oui, répond-il, résigné à subir son destin.

Tel père tel fils, pense Giffard avec un pincement au cœur.

— Dis-moi, Guillaume, est-ce que ta mère sait où tu es ?

Le garçon secoue la tête pour dire non.

— Qu'allez-vous faire de moi ? ose-t-il redemander en reniflant.

— Je vais y réfléchir sur le chemin du retour, répond enfin Giffard.

Sans se départir de sa froideur, il prend le sac de toile et pousse les enfants devant lui.

Chapitre 5
Renaud le renard

Au fur et à mesure qu'ils approchent des remparts, le bruit des déflagrations s'intensifie jusqu'à en devenir infernal. Émeline serre plus fort la main de Guillaume. À travers la pluie et ses larmes, elle regarde les éclairs qui nimbent la ville d'une curieuse aura orangée. Elle croit que Guillaume les voit aussi, mais dans la tête de Guillaume, les idées se bousculent et accaparent toute son attention. Il sait que Giffard ne les tuera pas, sinon il l'aurait déjà fait dans la grange ou quelque part dans les champs. Cette inquiétude écartée, il peut réfléchir à d'autres choses, notamment à l'allusion qu'a faite Stobo sur le rôle qu'a joué Giffard au fort Duquesne. Ainsi, dans l'affaire de la lettre, c'était lui, le traître ! Giffard a fait passer son méfait sur le dos de son ami, Michel Renaud. C'est odieux ! C'est pire que tout ce qu'il aurait pu imaginer !

Quelques toises encore les séparent des remparts. Des cris leur parviennent par-delà les épais murs de pierres. Toute cette cacophonie finit par tirer Guillaume de sa méditation, et il lève les yeux vers le ciel qui s'illumine sporadiquement. On dirait un feu d'artifice. Un coup de tonnerre lointain résonne; quelques secondes plus tard, une explosion fait vibrer le sol sous ses pieds. La vérité commence à se frayer un chemin dans son cerveau. Ce ne sont pas les canons français qui bombardent les Anglais, mais l'inverse. Ce que tout le monde craignait est en train de se réaliser: les Anglais attaquent Québec!

— Torrieu de...

Il ne trouve plus de mots.

— Qui va là? crie une voix comme venant d'outre-tombe.

Des soldats surgissent dans les créneaux des remparts, mousquets à la main, prêts à leur tirer dessus.

— Je suis le capitaine Charles Giffard, soldat de sa Majesté le roi de France, ouvrez-nous! répond Giffard en hurlant à l'adresse de la sentinelle.

Un visage apparaît furtivement dans le guichet de la porte du corps de garde pour identifier le demandeur. Les grandes portes s'entrouvrent pour les laisser entrer dans l'enceinte de la ville fortifiée. Un soldat s'empresse auprès d'eux. Les autres retournent à leur poste.

— Capitaine Giffard, vous voilà enfin!

— Pardi! Rien ne va comme prévu, peste le capitaine en secouant son manteau dégoulinant de pluie.

— À qui le dites-vous! acquiesce le soldat d'un air embarrassé.

— Est-ce que le transfert de Damien a été effectué selon mes ordres?

— À ce propos...

Un sifflement strident suivi d'une déflagration interrompt momentanément le soldat qui s'énerve.

— De bien mauvaises nouvelles, monsieur. Le prisonnier a réussi à s'échapper et...

— Quoi? s'écrie Giffard. Ai-je bien entendu?

— Je le crains, monsieur.

— Bande d'incapables! Qui est l'imbécile qui l'a laissé s'échapper? tonne le capitaine, hors de lui.

— Monsieur, il y a eu une explosion. Un mur de la maison s'est effondré. Le prisonnier a profité de l'effet de surprise et du nuage de poussière qui remplissait...

Le vrombissement d'une bombe qui tombe quelque part dans la Haute-Ville couvre les paroles du soldat. Muets de stupeur devant l'ampleur de l'attaque, Guillaume et Émeline se pressent l'un contre l'autre. Guillaume regarde comme dans un rêve les gens aller et venir dans le plus grand des désordres, tantôt emportant un meuble, tantôt traînant un enfant ou un animal terrifié. Dire qu'il y a deux heures à peine, la ville baignait dans le calme. Et maintenant… c'est la guerre. Et cette guerre qui se joue dans Québec n'a plus rien d'un jeu !

— Il faut retrouver le prisonnier, ordonne Giffard. Prenez quatre hommes avec vous et partez à sa recherche. Je promets une récompense à celui qui lui mettra la main au collet.

— Nous savons qu'il n'a pas franchi les portes de la ville, mon capitaine.

— Et la rivière ? Et les falaises ? Est-ce qu'on les surveille ?

— Nous faisons ce que nous pouvons, monsieur, reprend le soldat, penaud. Il y a beaucoup à voir. La population ne sait plus où se réfugier. Plusieurs se sont rendus à la redoute du cap Diamant et ont menacé la garnison. On accuse Montcalm de ne rien faire pour protéger les habitants. Les pillards vont bientôt se mettre à l'œuvre. Tous les hommes d'armes sont réclamés pour maintenir un certain ordre et aider les gens à quitter leur habitation. Les bombes ont touché le couvent ainsi que l'Hôtel Dieu. Et la Basse-Ville est gravement atteinte…

Le cœur de Guillaume fait un bond dans sa poitrine serrée. Il pense à sa mère et à Jeanne. L'Hôtel Dieu touché ; la Basse-Ville en ruines…

— Je vois, murmure Giffard, consterné.

Le capitaine se félicite des dispositions qu'il a prises concernant Catherine et sa fille avant de partir pour son rendez-vous avec Stobo. Il baisse les yeux sur le jeune Renaud et soupire. Tout va de travers. Tout se complique : Damien s'est échappé, le fils de Catherine l'a vu avec l'espion britannique, et la ville est en état de crise.

— Sergent Gagné, assurez-vous que ces enfants seront escortés jusqu'au Palais de l'intendance. Qu'ils y soient gardés sous bonne surveillance jusqu'à mon retour. Je ne veux pas entendre parler d'une autre évasion ce soir. Je m'occupe personnellement du prisonnier.

— Soyez sans inquiétude, le rassure le soldat avec un sourire, il ne s'agit que d'enfants…

— Ne sous-estimez surtout pas les enfants, sergent, le coupe Giffard en lui jetant un regard mauvais. Les souris s'échappent joyeusement entre les pattes du chat qui dort.

Pendant que les grands discutent, Guillaume observe avec une incrédulité grandissante ce qui se déroule autour d'eux. Les habitants arrivent de tous les côtés et se pressent à la porte des remparts. Si la plupart semblent sains et saufs, certains portent des bandages, d'autres sont même transportés sur des brancards. Ils veulent sortir de la ville. Ils veulent échapper à cette pluie de fer qui leur tombe sur la tête. Mais les soldats les refoulent le long du mur de pierres, leur indiquant que personne n'a le droit de quitter la ville tant que le gouverneur n'en a pas donné la permission. Guillaume cherche parmi les visages ceux de sa mère et de sa sœur. Où sont-elles ? La Basse-Ville est gravement atteinte… Guillaume s'invente de sombres scénarios : les corps de sa mère et de sa sœur perdus dans les décombres de l'hôpital des sœurs hospitalières, ou encore ensevelis sous les gravats de leur maison. Et lui, tout seul, tout seul.

— Maman… gémit-il, en proie à une panique sourde.

Une femme passe près d'eux, en pleurs. Elle appelle : « Pierre ! Pierre ! ». Elle s'arrête devant Guillaume et l'attrape par les épaules pour le regarder en face. Mais la déception déforme son visage. Elle ne reconnaît pas celui qu'elle cherche et elle se remet à pleurer en appelant encore.

Guillaume imagine sa mère le cherchant partout, terrifiée elle aussi de l'avoir perdu. Il ne peut pas rester là à attendre que Giffard scelle son sort. Il doit retrouver sa famille et il prie pour qu'elle soit saine et sauve.

— Guillaume ! hurle Émeline.

Mais Guillaume n'entend plus rien. Il court aussi vite que peuvent le porter ses jambes.

— Maman ! appelle-t-il. Maman !

— Arrêtez-le ! Arrêtez-moi ce garçon, pardi ! ordonne Giffard.

Les gens s'écartent devant Guillaume comme du blé devant un cheval fou. Les façades des maisons deviennent floues, et les lueurs des flambeaux forment de drôles d'étoiles scintillantes devant ses yeux qui se brouillent de larmes. Soudain, une poigne solide le soulève du sol, lui coupe le souffle et le retient prisonnier. Guillaume se débat comme un diable dans l'eau bénite. Il appelle sa mère et sa sœur. Il ne veut pas rester tout seul au monde. Il hurle de rage et il frappe et frappe encore l'homme qui l'empêche de rejoindre sa famille.

— Lâchez-moi ! Je veux voir Maman !

— Plus tard, mon petit bonhomme, lui lance le sergent Gagné en cherchant à le maîtriser. Pour l'instant, il faut obéir aux ordres du capitaine Giffard.

— C'est un traître… je ne veux pas lui obéir.

Une deuxième paire de bras devient nécessaire pour maîtriser enfin le gamin qui, devant l'inutilité de ses efforts, en vient à se calmer.

Le visage de Giffard prend aussitôt place devant le sien. Ses yeux noirs le fixent. À la lueur des flambeaux qui les encerclent, le garçon voit son propre reflet dans le gouffre de ces yeux-là. Des yeux de glace.

— Ne redis plus jamais ça. Tu ne sais pas de quoi tu parles, Guillaume Renaud.

— Je l'ai dit, et je le redirai! Vous avez menti à Maman, crie-t-il avec hargne. Vous avez... trahi Papa... Il était votre ami...C'est à cause de vous... que Papa est mort. À cause de vous! Je vous hais! Je vous hais!

Le visage du capitaine tique et devient cramoisi. Quelque chose passe dans son regard qui se dérobe, et Guillaume n'a pas le temps de le saisir.

— Ça suffit! gronde Giffard en se redressant d'un coup, puis il s'adresse au sergent: emmenez-les!

Un obus frappe la toiture d'une maison dans la rue Saint-Jean et provoque une déflagration qui souffle les bardeaux en charpie. Les gens qui s'étaient rassemblés autour de Guillaume et des deux soldats se dispersent comme des feuilles balayées par les rafales d'automne. Giffard s'est envolé avec eux. Le bras en étau dans la poigne du sergent Gagné, Guillaume ravale les sanglots qui lui compriment la poitrine. Il ne donnera pas le spectacle d'un Renaud en larmes. Ça, jamais!

Il règne une atmosphère survoltée au palais de l'intendance. De la pièce où on les a enfermés, Guillaume et Émeline écoutent les bombardements fracasser les maisons de la ville. Blottie contre son ami, Émeline a les yeux rouges et gonflés. On leur a apporté des bols de soupe et du pain; ils n'ont touché à rien. Avant de les quitter, le sergent Gagné leur a fait la promesse d'avertir leurs parents qu'ils vont bien et qu'ils sont en sécurité. Mais Guillaume n'y croit pas. Giffard les a fait enfermer pour gagner du temps. Que mijote le capitaine ? Il aimerait bien le découvrir. Il a bien essayé de dire aux gens de l'intendance ce qu'il a vu et entendu dans la grange. Le capitaine Giffard, un espion ? Allons donc ! Comme il l'avait soupçonné, personne ne le croit. On a ri et on s'est détourné. Allait-on écouter les accusations du fils d'un traître ? Alors, soit ! Qu'à cela ne tienne, il va se débrouiller tout seul.

Guillaume étudie les possibilités de fuite. Leur porte est fermée à double tour. Quant aux autres issues, soit elles sont aussi verrouillées, soit elles donnent sur une impasse. Il a vérifié les fenêtres, mais comme ils sont au deuxième étage, ils ne peuvent rien tenter de ce côté sans risquer de se rompre le cou. Reste la ruse. Il s'assoit sur le plancher dans un coin de la pièce et passe en revue les objets qui pourraient lui servir. Il réfléchit.

— Il s'est enfui ! Guillaume Renaud s'est enfui ! crie Émeline à pleins poumons en tambourinant la porte de ses poings.

Quelques secondes plus tard, le verrou cliquette, et le lourd battant de bois s'ouvre lentement. Un visage apparaît.

— Il est… parti, hoquette Émeline. Je me suis endormie et… à mon réveil, il n'était plus là. Par la fenêtre… il s'est enfui par la fenêtre.

Le laquais, un jeune garçon à peine plus vieux que Guillaume, passe sa tête blonde par l'entre-bâillement et fait mine d'inspecter la pièce. L'air affreusement accablé, Émeline gémit, les mains sur sa bouche. Elle coule un regard affolé vers les vantaux à carreaux de verre grands ouverts sur la nuit et le plancher inondé par la pluie qui s'invite dans la pièce. Le laquais constate les faits et blêmit. Tous les rideaux ont disparu des fenêtres. L'extrémité d'un pan de velours bleu est nouée autour d'une patte du massif bureau de noyer. Le laquais se précipite et s'empare du morceau du rideau qui le mène directement à la fenêtre. Il tire sur la corde improvisée : les vestiges des rideaux raboutés par des nœuds solides s'accumulent à ses pieds.

L'autre extrémité pendant mollement entre ses mains, le pauvre garçon se retourne vers Émeline et pose sur elle un regard désespéré. Il est aussi blanc qu'un cadavre. Un son rauque s'échappe de sa gorge. Il sort de la pièce en courant. Émeline le suit jusqu'à la porte, où elle s'arrête.

— La voie est libre, chuchote-t-elle.

Une porte bouge et Guillaume surgit d'un petit cabinet obscur.

— Promets-moi d'être prudent, murmure son amie, quand il passe devant elle.

— Promis.

Il lui sourit. Juste avant de se glisser dans le corridor, il hésite, revient sur ses pas et pose un léger baiser sur la joue d'Émeline. Il n'a pas le plaisir de la voir rougir, car il s'éclipse aussitôt.

Guillaume trouve facilement une cage d'escalier. Deux hommes montent du rez-de-chaussée. Il a tout juste le temps de dévaler les degrés jusqu'au premier étage et de se mettre à l'abri derrière une tapisserie suspendue au mur. Absorbés par leur discussion, les deux hommes passent devant sa cachette sans remarquer qu'une paire de bas blancs sales chaussés de souliers à boucles d'étain dépasse drôlement de la tapisserie. Guillaume attend qu'ils se soient suffisamment éloignés pour sortir de sa cachette. Son cœur fait vibrer sa cage thoracique comme un tambour sur un champ de bataille, et sa respiration est sifflante. Il avale une bonne goulée d'air, ravale sa salive, puis il retire la main qui s'était instinctivement posée sur la crosse du pistolet qui gonfle la poche de sa vareuse. La solidité de l'arme de son père contre son ventre le rassure. Heureusement, personne n'a jugé bon de fouiller son sac avant de l'enfermer dans le petit bureau.

Le passage est de nouveau libre. D'un pas feutré, il entreprend de descendre la dernière volée de marches. Le corridor est silencieux et n'est éclairé que par quelques lampes à huile qui dégagent une désagréable odeur de suif rance. Toutes les portes qui le jalonnent de part et d'autre sont fermées. La section du bâtiment dans laquelle il se trouve est apparemment tranquille. Il doit bien y avoir une sortie quelque part...

Le corridor débouche sur le hall. Deux sentinelles se tiennent près de l'entrée, l'air de s'ennuyer. Guillaume est surpris et déçu. Il avait cru voir le hall grouiller de monde en arrivant. Sans la cohue espérée pour le couvrir, traverser le hall et franchir la porte représente un défi de taille. Il y sera aussi visible que le nez au milieu de la figure !

Il n'a pas le temps d'analyser la situation. Des hommes sortent d'une pièce. Combien sont-ils ? Deux, quatre, cinq... six. Aïe ! Ils viennent vers lui.

— Torrieu de vieille pomme pourrie ! grogne-t-il.

Guillaume comprend qu'il doit passer à l'action avant que les hommes ne l'aperçoivent, mais il se ravise au dernier moment, quand il voit le sergent Gagné surgir de l'autre côté du hall. Il reste immobile, le dos contre le mur. Petit Jésus ! Que faire ? Le groupe d'hommes approche. Leurs beaux habits de soie et de velours, brodés de fils d'or et d'argent, froufroutent et scintillent sous les feux des lampes.

Les hommes le dépassent sans le remarquer. L'instinct pousse Guillaume à leur emboîter le pas sans savoir où cela le mènera. Pourvu que le sergent ne le voie pas.

À son immense plaisir, Guillaume s'aperçoit qu'ils se dirigent vers la sortie. Dans sa poitrine, son cœur cogne un marteau sur une enclume et il prie pour que les sentinelles ne le remarquent pas quand...

— Renaud !

Les pieds de Guillaume s'ancrent dans le dallage de pierre. L'air se bloque dans sa trachée.

— Toi, le petit Renaud !

Guillaume se retourne lentement. Il croise le regard courroucé du sergent Gagné. Aussi subitement qu'ils s'étaient figés, ses muscles se délient et Guillaume détale en courant. Il pousse les hommes qui obstruent son passage. Derrière lui, les récriminations du sergent qui s'est mis à sa poursuite percent le vacarme de la pluie qui le fouette au visage. Les semelles de Guillaume battent les pavés à une vitesse folle. À ce rythme d'enfer, il est certain qu'il pourrait arriver à Montréal en deux jours. Les cris de Gagné alertent les soldats dans l'enceinte du parc du Palais. Comme des faucons convergeant vers la même proie, ils arrivent vers lui des magasins du roi, de la remise, des jardins et des prisons. L'un d'eux n'est plus qu'à quelques enjambées de lui. La panique s'empare de Guillaume. Il n'y arrivera pas. On va le reprendre et l'enfermer au cachot, d'où il n'aura plus aucune chance de s'évader. Il ne reverra plus Émeline ni sa mère...

Repenser à sa mère lui insuffle un regain d'énergie. Guillaume aperçoit des tonneaux empilés contre le mur du parc, tout près de la fabrique de potasse[1]. S'il parvient à les atteindre, il peut encore avoir une chance... une toute petite chance. Guillaume rassemble ses dernières forces et les concentre dans ses maigres mollets. Il s'élance sur le premier tonneau, saute sur le second, bondit sur le troisième, glisse sur le bois mouillé, se rattrape et grimpe lestement les derniers échelons jusqu'au sommet, où il ose prendre le temps de vérifier où en sont ses poursuivants. Le soldat qui le suivait de près s'active maintenant à gravir lui aussi les tonneaux tandis que les autres se rassemblent en bas. Guillaume lance un regard de l'autre côté du mur de pierres. Il est beaucoup trop haut pour sauter. Il n'a pas le choix. En équilibre sur le dernier tonneau, il s'aventure sur le haut du mur tel un funambule sur une corde raide. Les bras en croix, il avance prudemment, un pied devant l'autre. Il doit se concentrer : ne pas regarder en bas, mais droit devant.

---

1. Fabrique de potasse caustique (hydroxyde de potassium), qui entre dans la fabrication du savon et des engrais.

Les soldats suivent sa progression à la lueur des torches et encouragent leur confrère d'armes qui joue aussi à faire l'équilibriste derrière lui.

— Hardi, Lavigueur! Encore trois pas et il est à toi! lui lancent-ils.

— Peut-être cinq pas, rectifie Guillaume pour lui-même en accélérant la cadence.

Une puissante explosion résonne sur les parois du roc qui domine la Basse-Ville et lui fait presque perdre pied. Brusquement, le grondement du bombardement s'impose de nouveau à lui. Ses oreilles s'y étaient habituées et il ne l'entendait plus. On lui ordonne, au nom du roi, de se rendre dans l'instant, sinon… Sinon quoi? Mais Guillaume ne pense qu'à se rendre jusqu'à l'angle du mur, il ne songe qu'à retrouver sa mère et sa sœur, qui doivent s'inquiéter tout autant que lui.

— Oh! Ahhh! font les hommes au sol.

Intrigué, Guillaume tourne la tête vers eux.

— Oh! Ahhh! font-ils encore.

Le regard de Guillaume suit ce qui semble les obnubiler derrière lui. Son poursuivant oscille dangereusement, ses bras battant le vide pour retrouver son équilibre.

— Aïe! Ouf!

Le soldat a glissé et est rudement tombé à califourchon sur le sommet du mur. Sa bouche forme une grimace comique. Devinant la douleur atroce du pauvre homme, Guillaume comprend que son poursuivant n'est plus en état de continuer. Un rire monte dans sa gorge. Il franchit aisément la distance qui le sépare de l'angle du mur tandis que le sergent Gagné profère des menaces. Il sent qu'une main invisible le guide, le protège, et il se plaît à croire que c'est celle de son père. Oui, son père garde un œil sur lui. Sa mère ne le lui a-t-elle pas toujours rappelé ? Comment pouvait-il l'avoir oublié ? Le cœur de Guillaume se gonfle d'un courage renouvelé. Il se sent d'un coup plus léger, plus habile, comme un chat sur les toits, la nuit. Il s'engage sur la portion nord-sud du mur et le suit jusqu'à la toiture d'un appentis, sur lequel il saute et glisse avant de toucher le sol en roulant sur lui-même.

Le voilà libre !

Chapitre 6
Le refuge du loup

La Basse-Ville est le théâtre d'une scène désolante à laquelle Guillaume ne s'attendait pas. La première pensée qui lui vient en découvrant les toitures effondrées et les murs écroulés est la description qu'a faite le père Ambroise de la destruction de Carthage[1] dans son cours d'histoire, au séminaire. Il a le sentiment d'être planté au beau milieu du triste décor d'une tragédie grecque.

Lentement, le cœur en lambeaux, il avance parmi les débris qui encombrent la rue Saint-Pierre. L'auberge du Lion d'or de monsieur Charest, la maison du forgeron Létourneau, le magasin de chapeaux d'Angélique Lemelin, tous ces bâtiments ont été détruits par les Anglais, abandonnés à tous les vents par leurs propriétaires. De la belle maison du marchand Grenet, il ne reste qu'un toit et quatre murs troués comme une passoire. La pluie y

---

1. Ville prospère de Tunisie détruite par les Romains en 146 av. J.-C.

pénètre comme si le ciel s'apitoyait lui aussi sur leur malheur. Plein d'appréhension, Guillaume grimpe les trois marches qui mènent à l'entrée. La porte n'est pas fermée à clé. Il la pousse et entre.

— Maman! appelle-t-il, même s'il sait d'avance que personne ne lui répondra. Jeanne, Maman?

L'état de la salle commune est consternant. Les pièces de la belle vaisselle de faïence de sa mère sont éparpillées sur le plancher, entières ou en morceaux, sous un voile de poussière. Le vase en porcelaine française est aussi fracassé; les margue-rites que Jeanne y avait mises ont été piétinées, sans doute par sa mère et sa sœur dans leur empres-sement à quitter les lieux. Le garde-manger est vide, sauf pour le saloir, beaucoup trop lourd, et le casier à pommes de terre. Même le piège à souris est vide.

Guillaume se rend dans la chambre. Le lit est nu, les tiroirs de la commode sont ouverts. Il court jusqu'à l'armoire: vide elle aussi! Pas même une chemise de rechange ou une paire de bas secs laissés pour lui. Sous le lit... plus de coffre. Est-il en sécurité avec sa mère ou est-ce que les pillards seraient passés par ici? Le gamin serre les lèvres pour contenir sa peine. Mais son émotion est à son comble et, s'affalant de désespoir sur le lit, il laisse les sanglots le secouer. Un bon moment s'écoule avant qu'il se calme et, entre deux reniflements, il écoute le bruit des bombardements et le clapotis de l'eau qui dégoutte quelque part dans la maison. Il doit repartir à la recherche de sa mère et de Jeanne. Il doit les retrouver avant...

Un sifflement; une explosion. Guillaume sent son corps quitter le matelas pendant une fraction de seconde et il hurle de terreur. La secousse est si puissante qu'elle fait éclater deux des carreaux de la fenêtre et propulse des éclats de bois partout dans la chambre. Un nuage se déploie aussitôt et recouvre tout d'une fine poussière blanche. Guillaume s'étouffe et tousse. Sur ses lèvres, il reconnaît le goût fade de la farine, ce qu'il trouve un peu bizarre.

Il lève ses yeux rouges vers le plafond. Il entrevoit le logement des Grenet à travers les planches déchiquetées. Le marchand gardait sans doute des sacs de farine dans son grenier. Il se demande où est allé se ficher ce foutu boulet anglais. Le mur qui sépare la chambre de la salle commune est fracassé. Le boulet a atterri dans le poêle de fer, qui s'est tordu sous l'impact. Guillaume arrive à en arracher la porte avec le tisonnier et il tire vers lui le lourd boulet, qui tombe sur le plancher dans un boum assourdi. Avec ses pieds, il le fait rouler jusqu'à la porte et le pousse en hurlant de rage sur les marches, où il rebondit jusque dans la rue.

Il l'a échappé belle! Il regarde une dernière fois les restes de leur logis. Cela ne lui sert à rien de s'attarder ici ; il doit reprendre ses recherches. Il retourne dans la rue après avoir bien refermé la porte.

Les boulets ne cessent de pleuvoir sur la ville. Guillaume ne sait pas quelle heure il est. Il a très sommeil, mais il sait qu'il ne trouvera le repos que lorsqu'il aura retrouvé sa mère. Ses pieds traînent dans la boue qui retient ses chaussures et il trébuche sur les débris des maisons qui s'accumulent un peu partout. Même l'église Notre-Dame-des-Victoires n'a pas été épargnée. Le père Baudouin essaie de convaincre les paroissiens qui s'y étaient abrités de trouver refuge dans la Haute-Ville. Guillaume s'informe de sa mère et de Jeanne auprès du prêtre. Le père Baudouin ne les a pas vues. Peut-être sont-elles encore à l'Hôtel Dieu ? Guillaume hoche la tête. Il ira vérifier. Il croise un chien égaré, puis un cochon affolé crie. Dans la côte de la Montagne, un chariot chargé de meubles est laissé en plan devant un pan de mur écroulé qui obstrue la rue. Çà et là, des gens bravent l'incessant pilonnage qui a presque rasé la Basse-Ville et reviennent quérir dans leurs demeures quelque objet oublié qui leur est cher. Le reste est abandonné aux pilleurs, ces ombres qu'il voit rôder parmi les ruines.

Sans s'être arrêtée, la pluie a considérablement diminué. Mais il y a longtemps que Guillaume ne sent plus l'eau ruisseler sur son visage et dans son cou. Tous les dix pas, il touche le pistolet qu'il garde coincé dans sa ceinture pour s'assurer qu'il est encore là. Les rues qu'il parcourt sont presque désertes. Il évite les nombreux soldats en patrouille. Il va maintenant où le mènent ses jambes. À l'Hôtel Dieu, sœur Flavie lui assure que sa mère a quitté l'établissement avec Jeanne un peu avant le début des bombardements et qu'elles n'y sont pas revenues. Il devine qu'elles ne sont pas chez les Ursulines non plus, car les religieuses ont déserté leur couvent. Guillaume est désespéré.

Il s'abrite de la pluie dans l'entrée d'une maison et se laisse choir sur le seuil. Il est las du bruit des bombes et de ses semelles clapoteuses. Il a froid dans ses vêtements qui lui collent au corps, la boue le recouvre jusqu'aux genoux et la farine forme des grumeaux de colle dans ses cheveux. Les genoux repliés sous le menton, il contemple la façade de la grande maison de l'autre côté de la rue. Il se sent tellement engourdi par la fatigue qu'il a l'impression de flotter dans un rêve et ses paupières se ferment d'elles-mêmes. Il a juste envie de s'allonger sur un matelas moelleux entre des draps secs. Il aurait dû rester avec Émeline, à l'abri et au chaud dans sa prison. Surtout, il n'aurait pas dû désobéir à sa mère.

Un couinement lui parvient faiblement. Une ombre frôle le bout de sa chaussure et le fait tressaillir : un rat. La vermine lui fait repenser à Charles Giffard, avec ses yeux noirs et sournois. La colère qu'il a ressentie en comprenant que l'ami de son père était celui qui l'avait injustement fait accuser se remet à gronder et enfle son cœur de rage. Giffard doit être dénoncé. Il doit payer pour ce qu'il a fait. Mais comment prouver que Giffard est le véritable coupable si personne ne le croit ? Il a besoin d'une preuve concrète.

Une lueur passe dans une des fenêtres de la maison d'en face. Pendant un moment, rien ne se passe plus dans la tête de Guillaume. Puis il fronce les sourcils. Il s'aperçoit d'un coup qu'il se trouve devant la maison de son père. Celle dans laquelle Jeanne et lui sont nés. Giffard y serait-il ? Guillaume se redresse et vérifie pour la énième fois qu'il a toujours le pistolet. Il ne sait pas trop quoi faire. Le menacer et l'obliger à tout lui avouer ? Giffard le jetterait vite fait hors de sa maison, comme on repousse une punaise hors de son lit. Il songe à un sort pire encore en se rappelant l'épée brillante et tranchante du capitaine dans la grange.

Et si c'était sa mère qui s'est réfugiée là ? Giffard lui a souvent offert l'asile de sa demeure. Fort de cette conclusion, il traverse la rue d'un pas décidé. Il soulève le heurtoir de fer, mais laisse son geste en suspens. Et si c'était seulement Giffard, finalement ? L'indécision le torture. Il ferme les yeux. La tête lui tourne légèrement et il vacille sur ses jambes épuisées. Il existe un moyen sûr de savoir qui est dans la maison. Il connaît bien la cour arrière.

Guillaume cherche la porte dans le noir. Quelle chance, c'est déverrouillé! La maison est silencieuse. Les sens en alerte, Guillaume avance à l'aveuglette dans la cuisine. Son genou heurte un banc. Ses mains reconnaissent un buffet à deux corps. Il redessine mentalement le plan de la maison pour se situer et se dirige vers la droite pour passer à la salle à dîner, d'où il pourra gagner le reste des pièces du rez-de-chaussée.

Un bruit résonne à l'étage et Guillaume s'immobilise. Il ferait mieux de se préparer, juste au cas. Son pistolet bien en main, il passe dans le corridor qui mène au salon et se rend jusqu'au pied de l'escalier. Il attend que l'occupant se manifeste. Mais les minutes s'écoulent et plus rien ne se passe. La personne qui se trouve là-haut doit s'être mise au lit. Devrait-il monter pour vérifier? Une déflagration fait trembler les murs. Guillaume n'a plus envie de retourner dehors.

Il entend un grincement qui ressemble au croassement d'un crapaud. Il prend peur et se dirige instinctivement vers le salon, qu'il explore à tâtons. Il heurte un meuble et son pistolet lui échappe dans un bruit sourd. Les yeux grands ouverts dans le noir, il se réfugie derrière le canapé. Une lueur jaune fait briller les deux vases de porcelaine aux motifs de chinoiseries sur la cheminée. Une ombre se déplace sur le mur du salon... le salon de Giffard. Le sang lui martèle les tempes.

— Mais qu'est-ce qu'on a ici ? siffle une voix rauque au-dessus de lui. On se la coule douce pendant que le maître n'y est pas ?

Guillaume se pétrifie. À la voix, il sait tout de suite qu'il ne s'agit pas de Giffard. Un bras se glisse autour de son cou, l'enserre et le force à se mettre sur ses pieds. Un objet dur et froid se pose exactement à l'endroit où il entend son cœur battre dans sa tête.

— Monsieur... s'étrangle Guillaume, terrifié. S'il vous plaît... ne... tirez pas. S'il vous plaît !

Une forte odeur de transpiration agrémentée d'une touche de parfum floral se dégage de son assaillant.

— Dis-moi ce que tu fais ici, sale petit marmot, sinon je te troue la cervelle ! menace l'inconnu.

— Rien, s'agite Guillaume, rien, je vous le jure ! Je voulais juste... juste trouver une place pour dormir.

La pression se relâche autour du cou de Guillaume, le pistolet quitte sa tempe et il peut respirer plus librement. Lentement, il se retourne pour faire face à un uniforme des officiers des Compagnies franches de la Marine qui a certainement connu de meilleurs jours. Sous le tricorne, un sombre faciès se plisse de circonspection. Les traits réguliers de l'individu seraient agréables sans la mine patibulaire qui les durcit. En dépit de la chevelure noire dans un état lamentable qui s'échappe du catogan de soie, de la poussière et de la boue qui le souille, Guillaume devine en lui le genre d'homme que les élégantes dames se plaisent à avoir à leur bras.

— On joue à faire la guerre ? se moque l'officier en apercevant le hausse col qui brille au cou du gamin. Quel âge as-tu ?

— J'aurai bientôt douze ans, monsieur.

— Hum...

L'homme recule pour jauger le gamin d'un œil avisé. Il pose le pied sur le pistolet de Guillaume et plisse les paupières.

— Que pensais-tu faire avec ça, le marmot ? demande-t-il plus sérieusement.

Guillaume se précipite pour récupérer son bien. Mais le soldat agit plus promptement.

— Je... Il est à moi !

Un coin de la bouche de l'homme se retrousse narquoisement pendant qu'il examine de plus près la pièce d'armurerie.

— Plus maintenant, le marmot !

— C'est à mon père ! se fâche Guillaume en cherchant à reprendre possession de l'arme. Rendez-moi ce pistolet, espèce de...

Il ravale juste à temps le nom de « canaille ».

— Ton père sait-il que tu joues à la guerre avec son pistolet ?

— Non... il... il est mort.

— Je suis désolé de l'entendre. Dans ce cas, on peut présumer que le pistolet n'est plus vraiment à lui. Maintenant, tu vas gentiment me dire ce que tu faisais avec cette arme, et peut-être que je te la rendrai.

— Je... je cherchais de quoi manger, ment Guillaume.

— Eh bien, fait l'homme en ricanant, moi aussi. C'est ce qui m'a amené en bas, tu vois.

Il ricane encore et fait passer les deux armes dans sa ceinture avant de prendre le bougeoir, de tourner les talons et de se diriger vers la cuisine. Un peu dérouté, Guillaume le regarde s'éloigner, puis lui emboîte le pas.

La Canaille, comme Guillaume baptise le soldat dans sa tête, se met en quête de nourriture. Cinq minutes plus tard, il a rassemblé sur la table un reste de pain de froment, du poulet froid et un pichet de bière d'épinette. Un festin !

La Canaille avale quelques bonnes gorgées de bière à même le pichet avant d'en offrir à Guillaume, qui refuse.

— Tu es certain ? Elle n'est pas si mal, la p'tite bière. Un peu fade, mais quand on n'a rien d'autre pour se mouiller le gosier... J'avoue que j'aurais plutôt envie d'un bon p'tit coup de tafia[2]. Ou d'autre chose de costaud. Peut-être que le propriétaire des lieux cache des bouteilles de cognac quelque part... Qu'est-ce que tu en penses?

L'officier se remet à fouiller le buffet.

— C'est vous qui étiez en haut? demande Guillaume.

La Canaille tourne vers lui un œil averti.

— Ainsi, on me suivait, le marmot?

— Euh... non. Je me trouvais par hasard devant la maison, j'ai vu de la lumière et... et j'ai cru que...

— Que quoi?

Les paupières de l'homme se plissent suspicieusement.

— Qu'il s'agissait de... monsieur Giffard...

— Monsieur Giffard? s'exclame la Canaille avec étonnement. Tiens, tiens... on connaît ce bon vieux capitaine Giffard?

Manifestement intéressé, l'officier abandonne ses recherches et revient vers lui. Brusquement conscient de son erreur, Guillaume n'ose plus ouvrir la bouche.

— Réponds quand on te cause, le marmot! Alors, tu le connais ou pas?

---

2. Eau-de-vie obtenue par fermentation et distillation des mélasses de canne à sucre.

— Un peu, comme tout le monde. Pas plus.

— Ouais... Comme tout le monde, grommelle la Canaille.

L'officier se courbe sur le gamin, le nez presque collé sur le sien et le scrute d'un regard soupçonneux. L'infect parfum qui l'enveloppe prend Guillaume à la gorge. Il se retient de respirer et fixe le visage qui prend des allures de gargouille à la lueur de la chandelle. Ce qui l'impressionne, ce sont les yeux. Ils sont très pâles et cerclés d'un trait plus sombre, et quand ils le fixent ainsi, Guillaume a le sentiment qu'ils vont le percer jusqu'à l'âme.

— Tu es bien certain qu'il n'est pas de la famille ? Un oncle ou un cousin ou quelque chose du genre ?

Est-ce qu'on pouvait considérer un faux ami comme un membre de la famille ?

— Non ! répond catégoriquement Guillaume. Il n'est pas de la famille.

— Tu peux le jurer ?

— Je le jure sur la tête de mon père.

— De ton père ? Je ne connais pas ton père, et ce n'est pas assez convaincant, observe la Canaille en esquissant une moue dubitative. Mets ta main sur la table.

— Pourquoi ?

— Mets ta main sur la table, je te dis, et ne fais pas d'histoires.

Guillaume obéit sans comprendre où veut en venir la Canaille. Ce dernier glisse hors de sa botte un long couteau de chasse. Une impression de danger pousse Guillaume à retirer sa main. L'officier est plus rapide que lui et le rattrape par le poignet, qu'il broie entre ses doigts. La main se retrouve de nouveau à plat sur la table, à la merci de la lame du couteau.

— Tu mets ta main à couper que tu dis la vérité, le marmot?

— Ne faites pas ça! geint le garçon en tortillant son poignet dans la serre du vilain larron. Ne me coupez pas la main! Je vous en supplie!

Un rire cynique résonne dans la cuisine.

— Si tu dis la vérité, je ne la couperai pas, ta main. Alors?

L'expression chargée d'angoisse, Guillaume dévisage la Canaille, qui attend, son couteau prêt à s'exécuter.

— Je... je suis prêt à mettre ma main à couper... que monsieur Giffard n'est pas de ma famille.

La bouche de l'homme s'ourle d'un sourire satisfait, et il relâche le poignet du gamin.

— Tu vois, je ne l'ai pas coupée, ta menotte. Je suppose qu'il vaudrait mieux qu'il ne soit pas de la famille, Giffard, pour que tu rentres en voleur chez lui avec un pistolet pour lui chiper sa bouffe. Ta mère n'a pas de quoi te nourrir? C'est elle qui t'envoie marauder comme ça la nuit?

— Ma mère... je ne sais pas où elle est. Et je n'ai plus de chez-moi, avoue Guillaume d'un air accablé.

L'officier le considère en silence.

— Ouais... Les billes de fer des *Goddams*[3] sont tombées dessus, c'est ça? Alors, toi tu as un toit troué et moi, c'est mon chapeau, déclare-t-il en exhibant son tricorne perforé de part en part. Et quand il pleut, tous les deux on se fait mouiller comme de misérables vers de terre.

Un clin d'œil accompagne la dernière boutade.

— Allons, bon! Si on se faisait une ripaille pour oublier tout ça? Je commence à avoir un petit creux.

---

3. Nom que les Français donnaient aux Anglais parce qu'ils juraient souvent en disant « *God damn* » (nom de Dieu!).

Chapitre 7

Qui cherche trouve

Chargé d'une partie des victuailles, Guillaume suit la Canaille dans l'escalier.

— Qu'est-ce qu'on vient faire en haut ? demande-t-il, intrigué.

— J'ai quelque chose à trouver et je n'ai pas toute la nuit pour le faire. Giffard peut rentrer n'importe quand.

L'officier se rend dans l'ancienne chambre des parents de Guillaume, qui est maintenant celle de Giffard. Cela fait presque deux ans que le garçon n'a pas revu cette pièce, comme tout le reste de la maison, et les souvenirs affluent comme une marée, le noyant d'images d'un temps plus heureux.

Un fouillis jonche le couvre-lit et le tapis. Ce sont les papiers personnels de Giffard. Le capitaine est un homme discipliné. Il n'aurait jamais laissé sa chambre dans un tel état. Voilà donc ce que faisait la Canaille avant de descendre. Pourquoi voudrait-il voler les lettres du capitaine ? Ce sont plutôt les bijoux et l'argenterie qu'on vole, d'habitude. Quelle valeur peut bien avoir la correspondance de Charles Giffard aux yeux de cet officier ? Et puis, en premier lieu, pourquoi un homme visiblement bien nanti aurait-il besoin de voler ?

— Tu entres ou pas, le marmot ? l'interroge la Canaille en se retournant vers lui.

Guillaume grimace. Cela l'agace que l'officier l'appelle constamment le marmot. Il n'est plus un enfant depuis... enfin, il ne pense plus en être un.

— Tu en veux un morceau ?

— Oui... répond Guillaume.

Le gamin dépose le pichet et le pain sur un gros coffre de chêne installé au pied du lit et plante machinalement ses dents dans la cuisse de poulet que lui tend la Canaille.

Après avoir mordu dans sa part de viande, la Canaille se met aussitôt à vider le troisième tiroir d'un semainier[1]. Les mouchoirs, bas et cravates s'accumulent en un monticule sur le parquet. Il passe au quatrième en marmonnant des choses pas trop jolies. Guillaume le regarde faire, perplexe, tout en continuant de gruger son os.

— Qu'est-ce que vous cherchez, au juste ?

— Un message que m'a volé ce satané capitaine Giffard.

----
1. Petit meuble à sept tiroirs.

— Et qu'est-ce qu'il contient, ce message ?

— Rien qui t'intéresse, le marmot, maugrée la Canaille en refermant le tiroir.

Il ouvre le suivant et furète dedans quelques secondes avant d'en sortir un coffret de bois blond, qu'il ouvre. Il en retire une jolie montre en or émaillé et sertie de pierres brillantes qui chatoient comme des étoiles dans un ciel d'été. Sans un mot, il la fait disparaître dans la poche de son justaucorps.

— Si vous me disiez ce qui se trouve sur ce bout de papier, je pourrais peut-être vous aider. Je sais lire, vous savez.

— C'est écrit dans la langue de Shakespeare, le marmot. Tu n'y comprendras rien.

— La langue de Shakespeare, c'est l'anglais, c'est ça ?

Le visage de l'officier se tourne vers lui, ombrageux.

— C'est ça, le fin finaud. Tu vas sans doute m'annoncer que tu sais aussi lire l'anglais ?

— Je reconnais certains mots comme *water* et *dog* et...

— Tu ne trouveras pas ces mots-là dans le message.

— Vous ne l'aimez pas beaucoup, le capitaine, observe encore Guillaume. Pourquoi ?

La Canaille pousse un soupir d'exaspération.

— Parce qu'il se mêle de ce qui ne le regarde pas. Je n'aime pas les gens qui viennent fourrer leur nez dans mes affaires. Voilà pourquoi. Ça te suffit ? Maintenant, laisse-moi travailler tranquille.

Guillaume hausse les épaules et se tait. Il tend le bras pour prendre le pichet de bière et stoppe net son geste quand une enveloppe capte son attention. L'écriture lui est familière. Il dépose son os sur le coffre et prend l'enveloppe. Son sang fait deux tours quand il comprend à qui appartient cette élégante calligraphie. Le plancher frémit sous ses pieds : une bombe s'est écrasée tout près, leur rappelant qu'ils pourraient être la prochaine cible. La secousse passée, fébrile, il ouvre l'enveloppe et en retire une feuille qu'il déplie d'une main tremblante. C'est une lettre de son père adressée à Charles Giffard.

Mon cher Charles,
Quand tu liras cette lettre…

Pendant que Guillaume parcourt les mots écrits par la main de son père, la Canaille en est au sixième tiroir. Les chemises et les bas volent pour rejoindre les mouchoirs et les cravates sur le sol. Guillaume entend presque la voix de Michel Renaud prononcer les mots qu'il lit : *à toi de démasquer le coupable… occupe-toi de Catherine et des*

enfants pour moi... la honte est trop lourde à por-
ter... je te fais confiance... tu as toujours été là
quand j'ai eu besoin de toi... tu mérites mieux
Catherine que moi... à toi de démasquer le cou-
pable... à toi de démasquer le coupable. Le cou-
pable: Damien Saint-Amant.

Saint-Amant. C'est le nom qu'a employé Stobo
quand il s'est adressé à Giffard dans la grange. Un
pseudonyme employé pour dissimuler sa véritable
identité... Guillaume replie la feuille, la replace
dans son enveloppe et la fait discrètement glisser
dans sa poche. Il a enfin une preuve que Giffard est
l'espion. Il doit la montrer à sa mère. Son père ne
savait certainement pas que ce Saint-Amant n'est
en fait nul autre que Giffard. S'il l'avait su, le capitaine... Oh!

— Un os qui ne passe pas, le marmot?

Guillaume cligne des yeux. La Canaille le dévisage d'un air inquiet.

— Tu es bien pâle, tout d'un coup.

— J'ai sommeil, je crois.

— Tu n'as qu'à t'allonger sur le lit.

Comme un automate, Guillaume s'allonge. Les
papiers se froissent sous son corps et collent à ses
vêtements mouillés. Charles Giffard serait-il allé
jusqu'à assassiner le lieutenant Michel Renaud? Sa
main effleure la poche où se trouve la lettre de son
père et ses lèvres se mettent à trembler.

— Je vous le ferai payer, Saint-Amant… murmure-t-il pour lui-même.

— Qu'est-ce que tu as dit, le marmot?

— Rien, je pensais…

Un obus siffle plus fort que les autres. Guillaume serre très fort les paupières, les dents et les poings dans l'attente que le plafond s'effondre sur eux. Un formidable fracas ébranle la maison jusque dans ses fondations, suivi d'un silence de mort. Quand Guillaume ouvre les yeux, le visage de la Canaille apparaît dans son champ de vision.

— Comment connais-tu mon nom?

— La Canaille? réplique le garçon sans réfléchir.

Un froncement de sourcils lui indique que l'officier n'entend pas à rigoler avec son identité.

— Je ne connais pas votre nom, monsieur.

— Si, tu viens tout juste de le prononcer.

— La Canaille? fait encore Guillaume, incrédule.

— Ne fais pas l'imbécile, le marmot.

— Je ne m'appelle pas le marmot, rétorque enfin Guillaume, irrité. J'ai un nom comme tout le monde et c'est Guillaume.

— Comme moi, je ne m'appelle pas la Canaille. Et je te ferai remarquer que tu t'adresses à un officier. Je suis Saint-Amant, Damien Saint-Amant, enseigne en second et en pied des Compagnies franches de la Marine de notre bon roi Louis. Maintenant, je veux que tu me dises comment tu le sais.

Sidéré, Guillaume ouvre la bouche. L'officier serait Damien... le prisonnier évadé ? Damien... Saint-Amant ?

— Je... Je ne le savais pas, c'est que...

Lentement, il s'assoit sur le lit. Le corps du soldat toujours penché au-dessus de lui le domine, sa main caressant la crosse de son pistolet. Guillaume regarde avec regret celui de son père, également coincé dans la ceinture de l'officier. Puis il lève les yeux vers le visage de Saint-Amant. Ce dernier le scrute de ses étranges yeux clairs. Ses traits sont encore plus sinistres que tout à l'heure, et Guillaume pense que c'est à cela que doivent ressembler les farfadets[2] qu'on dit voir rôder parfois sur l'île d'Orléans.

— Tu l'as prononcé, pourtant, le marmot, persifle l'officier en empoignant le col de la chemise du gamin, qu'il soulève du matelas. Maintenant, tu vas me dire comment tu connais mon nom.

— Je l'ai entendu dire par des soldats, raconte Guillaume en bafouillant, tant ses lèvres tremblent. Ils parlaient d'un prisonnier... qui s'est échappé... Je repensais à ça, c'est tout. Comment aurais-je pu

_____
2. Lutins.

savoir que c'était vous ? Vous ne m'avez jamais dit comment vous vous appelez avant maintenant.

— C'est juste, concède Saint-Amant en le relâchant.

Guillaume retombe mollement sur le matelas en poussant un gémissement. Il respire par saccades et ne bouge plus. Il en est incapable : la peur le paralyse. Toutes ses idées se retournent dans sa tête et il n'arrive pas à réfléchir correctement. Saint-Amant fait quelques pas et lâche deux ou trois obscénités. Les secondes s'écoulent. La vie revient graduellement dans les membres de Guillaume et il parvient enfin à remuer les bras. En déployant plus d'effort, il réussit à se rasseoir. Appuyé contre le semainier, le soldat épie chacun de ses gestes d'un air méfiant. Ses doigts pianotent nerveusement sur le dessus du meuble. Le mouvement cesse d'un coup.

—Trois hommes seulement étaient au courant de mon arrestation. Le caporal Dufour, le sergent Gagné et... le capitaine Giffard.

Un mauvais pressentiment envahit Guillaume. Il se lève et esquisse un geste vers la porte. Il suit le mouvement des doigts de Saint-Amant qui s'enroulent autour de la crosse de son pistolet.

— Petit Jésus, Papa, venez-moi en aide... souffle-t-il dans une prière qui, il l'espère, sera entendue.

La bouche de l'officier se tord en un rictus démoniaque.

— Invoquer les morts attire toujours des ennuis, le marmot. Tu ne sais pas ça ? Ne t'énerve pas, je veux juste te poser quelques questions. À propos de Giffard, tu m'as menti ?

— Non.

— C'est un ami, alors ?

Le silence du gamin répond à la question, et Saint-Amant commence à comprendre à qui il a affaire. Il lorgne le hausse-col. C'est une parure d'officier.

— Ton père, il était soldat, hein ? Comment s'appelait-il ?

Le garçon exécute deux autres pas à reculons. Sans quitter des yeux le pistolet de Saint-Amant, ses mains tâtent le vide derrière lui, effleurent le chambranle, s'y agrippent. Il revoit soudain le visage crispé de Charles Giffard quand il l'a traité de traître devant la foule. La froideur qu'a affichée le capitaine n'était en fait qu'un masque destiné à cacher ses véritables émotions. Charles Giffard, Guillaume l'apprend trop tard, n'est pas un traître. Jamais il n'a abandonné son père. À la peur se mêle la colère, la fureur. Toutes ces émotions remuent dans le ventre de Guillaume et forment une chose froide qui le glace jusqu'aux os.

— Pourquoi ne veux-tu pas me dire le nom de ton père, Guillaume ? De quoi as-tu peur, le marmot ?

— Il s'appelait Michel Renaud, et j'ai pas peur! hurle Guillaume. Je ne suis pas un marmot, je ne suis pas un poltron et je n'ai pas peur des traîtres!

Il n'a que le temps de voir un éclair meurtrier passer dans les yeux de Saint-Amant et il détale comme le lièvre devant le chasseur. La détonation percute ses tympans; la balle fait éclater le bois de la porte derrière lui. Guillaume dévale l'escalier. Un martèlement le poursuit. Il se jette sur la poignée de la porte de l'entrée principale. À son grand désarroi, il la trouve fermée à clé.

Une opaque obscurité les avale. Comme des aveugles, Guillaume et Saint-Amant se déplacent dans les pièces du rez-de-chaussée en se guidant de leurs mains, de leurs pieds, de leur flair. Mais Guillaume a l'avantage de connaître les moindres coins et recoins de cette maison dans laquelle il a grandi. Les lames du parquet grincent. Une langue de feu rouge éclaire momentanément le corridor et trahit la position de l'officier. La balle fracasse des pendants de verre du chandelier, qui oscille en cliquetant. Le dos plaqué contre la porte du cellier, Guillaume retient sa respiration. Il ne peut pas atteindre la sortie arrière sans risquer que Saint-Amant le repère. Sa vision s'embue, son esprit s'embrouille. Il ne sait plus où aller. Il est piégé.

Il effleure le bouton de la targette de fer qui tient la porte du cellier fermée. Le cellier... Une idée germe dans son cerveau. Il fait doucement glisser la coulisse et sent le battant se relâcher dans son dos. Tout aussi lentement, il l'entrouvre. Le parquet grince tandis que Saint-Amant s'approche de l'angle du mur. Il doit faire vite...

Poussé comme par un ressort, Guillaume se précipite à l'intérieur du cellier en priant le ciel que Giffard n'ait pas eu l'idée de le réaménager. Avec ses mains, il retrouve rapidement l'emplacement de la boîte à sel et du saloir. Il s'accroupit et rampe sous les étagères. Il tâtonne frénétiquement le mur. Elle est là, pourtant. Il le sait. Il la connaît du temps qu'il jouait à cache-cache avec son père et sa petite sœur Jeanne. La grille d'aération doit être là, quelque part...

Un faible couinement lui apprend que Saint-Amant est entré dans le cellier. S'il pouvait seulement trouver cette foutue grille! Avant que... Voilà! Il la parcourt du bout des doigts. C'est bien elle. Il donne un violent coup de pied dedans. La petite trappe cède dans un craquement.

— Je sais que tu es là, Guillaume Renaud, murmure sinistrement Saint-Amant dans le noir. Tu ne peux plus m'échapper, maintenant. Pourquoi est-ce que je ne t'entends plus prier le petit Jésus?

Guillaume se glisse dans le trou en rampant. L'espace est plus petit que dans ses souvenirs. Il craint de rester coincé. Ses hanches parviennent à passer de justesse. Le temps d'y penser, il est derrière le fauteuil du petit boudoir. Il s'empresse de replacer la grille et court ensuite jusque dans le corridor pour refermer la porte du cellier et glisser la coulisse de la targette pour la verrouiller, emprisonnant Saint-Amant à l'intérieur. L'officier ne met pas longtemps à comprendre ce qui lui arrive et il jure comme un grenadier. La porte vibre sous l'impact de ses poings et de ses pieds. Pour plus de sûreté, Guillaume pousse le lourd banc de chêne devant la porte.

Le souffle court, il reste là, sans bouger. Il sent un poids énorme quitter son ventre et un rire gonfler ses poumons et sa gorge. Il rit. Il pleure. Il a réussi. Et les menaces du traître Saint-Amant ne lui font plus peur.

Chapitre 8
L'ami Giffard

Une déflagration secoue Guillaume, et il croit qu'on vient de sonner la diane[1]. Ou est-ce l'angélus[2] ? Il ne sait plus. Lentement, il remue sa langue dans sa bouche. Elle est toute pâteuse, comme si elle était pleine de gruau. Ses paupières papillonnent. Une lumière grise l'accueille dans une sorte de brouillard. Pendant un moment, il fixe une paire de bottes à travers un rideau de cheveux emmêlés. Des galettes de boue séchée recouvrent le cuir lisse. Des voix lui parviennent, feutrées, comme étouffées par des murs. Plus près de lui, il entend aussi des chuchotements. Les bottes bougent. Tiens, c'est curieux, ça ! Guillaume soulève un peu plus ses paupières. Il distingue le justaucorps gris pâle aux retroussis bleus distinctifs des Compagnies franches de la

---

1. Batterie de tambour ou sonnerie de clairon ou de trompette qui annonçait le réveil des soldats et des marins.
2. Sonnerie des cloches qui invitait la population, le matin, le midi et le soir, à prier les mystères de l'Incarnation et de l'Annonciation.

Marine. La maison tremble de nouveau, et les pendants de verre du chandelier tintent doucement comme un petit carillon. Une main s'approche de son visage. Les boutons dorés des manchettes brillent. C'est alors que, comme un coup de masse sur une cloche, tous les événements des dernières heures reviennent à Guillaume.

Le garçon se redresse d'un coup et pousse un cri.

— Ça va, ça va, mon garçon, le rassure l'officier.

La main repousse la mèche de cheveux qui lui barre les yeux, et Guillaume, tout haletant de peur, reconnaît le capitaine Giffard. Oui, Charles Giffard... il se souvient. Il est dans sa maison. L'homme se tient à distance. Mais Guillaume peut lire l'inquiétude dans son regard.

— Que fais-tu ici? demande le capitaine. Et, par tous les diables, pourquoi as-tu mis tout sens dessus dessous?

— Monsieur Giffard, murmure timidement Guillaume en essayant d'éviter les yeux noirs. Je ne voulais pas venir voler... Je vous le jure. Je cherchais seulement Maman.

— Ta maman et Jeanne sont en sûreté à l'hôpital général. Je les ai conduites là-bas peu de temps après le début des bombardements.

Guillaume a envie de pleurer tant il est soulagé.

— Et Émeline?

— Elle est avec ses parents. Guillaume, pourquoi t'es-tu enfui? Pourquoi n'es-tu pas resté avec ton amie à l'abri du palais comme je l'avais ordonné? Ta mère est morte d'inquiétude. Je t'aurais conduit auprès d'elle si tu n'avais pas fui comme tu l'as fait.

— Je... je...

Giffard secoue tristement la tête et soupire.

— Je pense qu'il est temps que je t'explique certaines choses, Guillaume.

Les larmes brouillent la vue de Guillaume, ce qui le met en colère. Il ne veut pas pleurer devant monsieur Giffard. Mais il n'arrive pas à se retenir.

— Je suis désolé, monsieur. Pour tout. Je suis désolé. Je sais maintenant. Vous n'êtes pas un espion. Ni un traître. Je sais que c'est Saint-Amant qui a piégé Papa. Pas vous. Il est là, dans le cellier. Je l'ai emprisonné.

Guillaume regarde vers le cellier. L'échafaudage de meubles en bloque toujours l'accès. Est-ce que Saint-Amant s'y trouve encore? Il se souvient qu'il s'est longtemps agité dans le réduit pour tenter d'en sortir; Guillaume a utilisé tous les meubles qu'il était capable de déplacer pour renforcer les barricades devant la porte et la trappe.

Giffard s'approche du garçon et pose sa main sur son épaule.

— Guillaume… de quoi parles-tu ?

— De Damien Saint-Amant, répond le garçon entre deux sanglots. Il est dans le cellier.

— Par tous les diables !

Giffard se redresse d'un bond et lance des ordres à travers les pièces silencieuses. Deux soldats surgissent de la cuisine, un autre arrive du salon, mousquet en bandoulière, sur le pied de guerre. Ils s'activent sur-le-champ à dégager la porte du cellier. Guillaume entend la voix de Saint-Amant, éraillée par le sommeil, s'élever dans le raffut qui règne maintenant dans la maison. On neutralise le prisonnier sans trop de difficulté et, à la pointe de la baïonnette, on le pousse hors du réduit, les poings liés dans le dos. Le regard pénétrant de Saint-Amant se pose sur Guillaume quand il passe devant lui. Le garçon affiche une mine effrayée. Giffard se dresse entre eux et plonge ses yeux noirs dans le gris de ceux du mécréant.

— Nous y voilà, Saint-Amant, l'apostrophe-t-il durement, maintenant je vous tiens. Cela m'aura pris deux années pour vous piéger, mais grâce à Dieu, j'y suis parvenu. Et c'est votre cupidité qui vous aura perdu une fois pour toutes. Le capitaine Stobo vous avait bien jaugé. Malheureusement pour moi, il a réussi à s'enfuir. Mais je me console en imaginant la tête qu'il a dû faire quand il a découvert que mes informations n'étaient en fait qu'une bonne vieille recette de tourte aux perdreaux de ma mère. Quant à vous, je remets votre sort entre les mains de la justice. Emmenez-le, gronde-t-il pour finir en s'adressant à ses hommes.

Les soldats évacuent le corridor, qui redevient silencieux. Giffard frotte ses paupières avec lassitude.

— Enfin, murmure-t-il, tout ça est terminé.

Le capitaine revient vers Guillaume et s'accroupit devant lui. Le garçon a assisté à toute la scène sans dire un mot.

— Je suis fier de toi, Guillaume Renaud. Tu es bien le fils de ton père. Tu es un vrai Renaud comme lui et comme lui tu seras un homme honorable. Je suppose que je te dois quelques explications.

— L'espion dans la ruelle... Je croyais que c'était vous.

— Celui que tu as vu était bien Saint-Amant, Guillaume. Mais je ne me trouvais pas bien loin de lui. Je fais suivre ce vaurien depuis un an. Tu vois, je soupçonnais que Stobo finirait par essayer d'entrer en contact avec lui. L'Anglais a suffisamment parcouru les rues de Québec lors de son séjour forcé ici pour en dresser un plan détaillé. Ne manquaient plus que quelques renseignements secrets concernant les faiblesses de notre système de défense. Renseignements que Saint-Amant lui fournirait sans hésiter sous la menace de se voir dénoncé en ce qui concerne l'affaire du fort Duquesne. Saint-Amant a été mis aux arrêts quelques minutes seulement après son entretien avec l'agent anglais. Il avait encore sur lui le message de Stobo. Malheureusement, hier soir, il a faussé compagnie à ses geôliers à la faveur des bombardements. J'avais promis à ton père de faire tomber le masque du vrai coupable. Il soupçonnait Saint-Amant, qui était alors caporal sous ses ordres au fort Duquesne. Mais nous n'avions aucune preuve de son méfait. Et Stobo, sans doute pour préserver son précieux contact dans les murs de Québec, a tout simplement raconté au tribunal que c'est ton père qui avait collaboré pour faire passer ses lettres. La cour martiale n'a pas cru au témoignage de Stobo. Mais le mal était fait.

— C'est pourquoi vous vous êtes fait passer pour Saint-Amant auprès de Stobo ? demande Guillaume, subjugué.

— Oui, je comptais sur le couvert de la noirceur pour qu'il ne découvre rien de la supercherie. Il me fallait avoir la preuve de la bouche de Stobo que c'était bien Saint-Amant qui avait fait passer les plans du fort Duquesne. Émeline et toi avez bien failli tout gâcher.

— J'en suis désolé, monsieur Giffard.

— Hum... L'important est que vous soyez sains et saufs. Je regrette seulement que tu aies été mêlé à tout ça, Guillaume. Je regrette aussi de ne pas avoir pu découvrir la vérité avant que...

La voix de Giffard se brise. Il ferme brièvement les paupières pour prendre sur lui et poursuit :

— Ton père me manque beaucoup, tu sais. À ton âge, nous étions les meilleurs amis...

— À la vie à la mort ? complète Guillaume.

— Oui, des amis « à la vie à la mort ! »

Les yeux noirs se mouillent. Guillaume contemple avec émotion ces yeux qu'il voit pleurer pour la première fois le malheur de Michel Renaud. À bien y regarder, ils ne sont pas noirs, mais bruns. D'un brun onctueux comme le plus crémeux des chocolats chauds. Guillaume ne l'avait jamais remarqué. Honteux, il sait que c'est parce qu'il n'avait jamais pris le temps de les observer vraiment.

* * *

Le soleil fait briller les couleurs qui tourbillonnent autour de Guillaume. La brise tiède fait voler les rubans dans les boucles d'Émeline et de Jeanne, et les robes des dames chatoient comme des corolles de fleurs dans un étonnant jardin. Les gens se pressent auprès de Catherine, la félicitent, l'embrassent. À l'ombre de son grand chapeau de paille, elle sourit comme Guillaume ne l'a pas vue faire depuis bien longtemps. Sa mère a retrouvé le goût du bonheur. Il la voit tourner sur elle-même et il a l'impression qu'elle va s'envoler. Heureusement que la main de Charles la retient au sol. Charles aussi est souriant et élégant. Le couple se regarde tendrement et s'embrasse sous les applaudissements de la foule qui s'est rassemblée sur le parvis de l'église de Charlesbourg, dans laquelle le curé de la paroisse vient de bénir leur union.

Oui, en ce matin du 1er août, Charles Giffard est officiellement devenu le beau-père de Guillaume. « Et si on commençait par être des amis ? » lui avait-il suggéré dans la carriole qui les conduisait à l'église. « Je ne veux pas remplacer ton père, mon garçon. Comme dans celui de ta mère, personne ne pourra jamais le remplacer dans ton cœur. Mais dans la vie, nous avons tous besoin de véritables amis. » Encore un peu intimidé par cet homme mystérieux, Guillaume a acquiescé d'un signe de la tête. Puis ils ont scellé leur entente par une virile poignée de main.

Les épaules de Guillaume se redressent, et un sourire content s'accroche à ses oreilles. Aujourd'hui, il sait qu'il peut compter sur l'amitié de Charles aussi bien que sur celle d'Émeline. Ils sont des amis « à la vie, à la mort ! ».

L'expression du bonheur transpire sur les visages qui l'entourent. Il laisse les rires l'imprégner d'un sentiment apaisant. Cela lui fait le même effet qu'un

« je t'aime » glissé au milieu d'une sévère réprimande. Car hors du cadre de cet émouvant tableau gronde toujours la guerre. Ils en sont au trente-septième jour de siège[3]. Toutes les nuits depuis trois semaines, les Anglais lancent leurs « billes de fer et de feu » sur Québec. Une bombe a provoqué un terrible incendie qui a ravagé la Basse-Ville, réduisant à rien ce qui subsistait encore. Puis, ça a été au tour de la Haute-Ville de s'embraser. Le clocher de la cathédrale Notre-Dame s'est effondré, et ses cloches ont fondu en un seul amas de fer difforme. Même la belle maison des Renaud-Giffard, dans la rue Saint-Louis, n'a pas été épargnée. Il semble que les Anglais ont des ressources inépuisables de boulets et de bombes incendiaires.

L'ennemi a tenté un débarquement à la Pointe-aux-Trembles, près de la seigneurie de Neuville. Hier, ils ont essayé de prendre la côte de Beaupré. Le capitaine Giffard a été légèrement blessé à la cuisse lors des combats. Il boite de la jambe droite, mais il garde un bon moral. Jusqu'ici, Dieu est du bord de la Nouvelle-France… c'est du moins ce qu'il dit.

Jeanne claironne à qui veut l'entendre que son nouveau papa est un héros. Un héros tout comme

---

3. Ensemble des opérations militaires menées pour prendre une place forte.

son grand frère, Guillaume. Enfin, il paraît que c'est ce que les gens racontent à propos du jeune Renaud. On dit qu'il a réussi à lui tout seul à attraper un vilain qui s'apprêtait à faire passer à l'ennemi des renseignements secrets concernant l'armée française. Qu'il s'est battu dans un farouche corps à corps avec Saint-Amant, qu'il a réussi à l'assommer d'un coup de la crosse du pistolet de Michel Renaud et qu'il a ensuite traîné le mécréant inconscient jusque dans un cellier pour l'y enfermer à double tour jusqu'à l'arrivée des soldats. D'autres préfèrent la version qui veut que Guillaume ait voulu venger l'honneur de son père, le lieutenant Renaud, en provoquant Saint-Amant en duel, et qu'il ait forcé le traître jusque dans le cellier à la pointe de son épée. Quoi qu'il en soit, tous le proclament héros sans peur. Mais au fond de lui, Guillaume se moque bien de toutes ces histoires. Lui seul sait combien la peur lui a rongé le ventre cette nuit-là. La peur, il l'a appris, est une bête terrible qui dévore tout par en dedans. L'unique et véritable exploit de Guillaume est d'avoir dompté cette bête-là. Le fils du lieutenant Renaud n'est pas un poltron. Où qu'il soit dans ce ciel si bleu, il sait que son père le regarde avec fierté. Grâce au courage de Guillaume, Michel Renaud a recouvré son honneur aux yeux de tous. Dans le cœur de son fils, il ne l'avait jamais perdu.

FIN

Dossier
GAZOLINE

Le dossier **GAZOLINE** a été réalisé grâce à la généreuse collaboration de Sonia Marmen, Annie Pronovost et Fabrice Boulanger.

Dossier
GAZOLINE

Qu'est-ce qu'un roman historique ?

Pour mériter l'appellation de roman historique, un roman doit obligatoirement apporter au lecteur une connaissance objective[1] de l'histoire. Sans avoir la prétention de reconstituer l'histoire officielle dans ses moindres détails, le roman historique est un outil intéressant pour imaginer ce que pouvait être la vie dans le passé. Il permet de s'évader dans un autre monde, dans un autre temps. À travers le regard des personnages, il devient alors possible de revivre certains événements qui ont vraiment eu lieu.

Dans un premier temps, l'auteur choisit une époque, un événement ayant marqué l'histoire, qui formera la toile de fond de son roman. Il développe ensuite une histoire fictive[2] qui deviendra la trame principale du récit. L'histoire n'a pas besoin d'avoir un intérêt historique. C'est dans l'accumulation de petites vérités historiques, de descriptions – de lieux, de costumes ou d'objets –, insérées par l'auteur et qui reconstruisent

1. Juste, sans parti pris.
2. Imaginaire.

l'atmosphère et les décors, que le récit prend sa valeur documentaire[3].

Avant de se mettre à l'écriture à proprement parler, l'auteur commence par rassembler des données sur les événements historiques qu'il désire aborder. Pour cela, il doit lire de nombreux essais et ouvrages spécialisés, fouiller les archives, étudier des cartes de l'époque, connaître les us et coutumes des gens en ces temps-là. Ces recherches doivent être menées avec rigueur pour rendre les faits le plus véridiquement possible et éviter que ne se glissent dans le récit des anachronismes[4] qui lui enlèveraient toute crédibilité. C'est un travail long et ardu, peut-être, mais l'auteur y fait souvent des découvertes étonnantes qui enrichiront son roman.

L'auteur peut inventer ses propres personnages, mais il peut aussi faire revivre des gens qui ont réellement vécu. Ces protagonistes[5] doivent véhiculer les valeurs sociales de l'époque ciblée. Par les sentiments qu'ils expriment et à travers leurs dialogues, ils donnent au lecteur une approche plus personnelle, plus vivante de l'histoire, comparativement aux ouvrages

---

3. Un roman qui a une valeur documentaire peut servir de source d'information sérieuse.
4. Erreurs qui consistent à situer les choses ou les événements, à la mauvaise date, à la mauvaise époque.
5. Héros.

documentaires qui ne font que relater les faits, les dates et les noms des gens et des lieux.

Il faut toutefois se rappeler qu'un roman historique ne sera jamais plus qu'un divertissement littéraire : il ne doit en aucun cas être considéré comme une source sûre d'informations historiques. Il demeure un univers où s'associent le vrai et le faux.

Un auteur ne pourra jamais écrire qu'à travers le regard de sa propre époque. Ce qu'il a lui-même vécu, ses valeurs, ses opinions politiques ou morales nuanceront son récit. Les hommes marquent leur époque comme chaque époque marque ses hommes. Un auteur ayant vécu au temps de la première grande guerre de 1914-1918, qui en aura connu les misères et les souffrances, ferait sans doute le récit de la bataille des plaines d'Abraham avec une passion patriotique[6], subjective[7]. Un autre auteur né en temps de paix, soixante ans plus tard, aura une approche plus froide, plus objective de l'événement. Il peut être intéressant de comparer les récits d'auteurs issus de différentes époques et qui ont abordé le même sujet historique.

S.M.

---

6. Dévouement et amour pour son pays.
7. Qui implique des goûts et des sentiments.

Bibliographie
proposée par Sonia Marmen

Il y a beaucoup de romans historiques intéressants qui peuvent emmener loin dans le temps...

BOUCHER MATIVAT, Marie-Andrée, *Le grand feu*, Saint-Laurent, Éditions Pierre Tisseyre, 2004.

GAUTHIER, Evelyne, *Snéfrou, le scribe*, Saint-Laurent, Éditions Pierre Tisseyre, 2003.

GUILLET, Jean-Pierre, *Le fils de Bougainville*, Saint-Laurent, Éditions Pierre Tisseyre, 2004.

LAFLAMME, Sonia K, *Le chant des cloches*, Saint-Laurent, Éditions Pierre Tisseyre, 2004.

MATIVAT, Daniel, *Le chevalier et la sarrasine*, Montréal, Éditions Hurtubise HMH, 2003.

MATIVAT, Geneviève, *Le dernier voyage de Qumak*, Saint-Laurent, Éditions Pierre Tisseyre, 2004.

MIGNOT, Andrée-Paule, *Nous reviendrons en Acadie !*, Montréal, Éditions Hurtubise HMH, 2000.

OUIMET, Josée, *L'Orpheline de la maison Chevalier*, Montréal, Éditions Hurtubise HMH, 1999.

OUIMET, Josée, *Le secret de Marie-Victoire*, Montréal, Éditions Hurtubise HMH, 2006.

TADROS, Magda, *Tiyi, princesse d'Égypte*, Montréal, Éditions Hurtubise HMH, 2006.

La collection « Mon Histoire », Éditions Gallimard Jeunesse.

La collection « Cher Journal », Éditions Scholastic.

La guerre de Sept ans
(1756-1763)

En 1756, la France et l'Angleterre se déclarent la guerre. Cette guerre, appelée la guerre de Sept ans, dura effectivement jusqu'en 1763.

En Amérique du Nord, les Anglais des treize colonies américaines[1] et les Français de la Nouvelle-France se disputaient déjà les territoires riches en ressources naturelles depuis mai 1754. Les conflits avaient débuté après que le général George Washington[2] eut sournoisement attaqué un détachement de Français. La riposte des Français ne se fit pas attendre; en juillet 1754, ils prirent aux Anglais le fort Necessity. C'est à l'issue de cette bataille que le capitaine Robert Stobo fut fait prisonnier et emmené au fort Duquesne, avant d'être finalement conduit à Québec où il demeura prisonnier des Français jusqu'en 1759.

En mai 1755, eut lieu la bataille de la rivière Monongahéla, lors de laquelle les fameuses lettres de

---

1. Ces treize colonies ont plus tard formé les treize premiers États des États-Unis.
2. Il deviendra le premier président des États-Unis d'Amérique.

Stobo furent trouvées sur le corps du général Edward Braddock.

Les Français cumulèrent les victoires jusqu'en 1758 : au fort Bull (à l'endroit où se trouve aujourd'hui la ville de Rome, dans l'État de New York), au fort Oswego (près de l'actuelle ville de Syracuse, État de New York), au fort William Henry (lac George, État de New York) et au fort Carillon (lac Champlain, État de New York) pour n'en citer que quelques-unes. Ces forts formaient la défense des colonies dans les vastes territoires inoccupés comme la vallée de l'Ohio et la région des Grands Lacs.

La victoire de Carillon fut la dernière que célébrèrent les Français. Deux semaines plus tard, Louisbourg (Cap Breton, Nouvelle-Écosse) rendait ses drapeaux aux mains des Anglais. S'ensuivit une série de chutes des forts français, qui permit aux Anglais de s'approcher de Québec.

Le 27 juin 1759, le général James Wolfe et sa flotte de plus de deux cents navires jetaient l'ancre près de l'île d'Orléans. Le siège de Québec par les Anglais dura tout l'été ; le 13 septembre, la célèbre bataille des plaines d'Abraham décida du sort de Québec. La ville capitula quelques jours après. La reddition[3] de Montréal suivit en septembre 1760 : c'était la fin de la colonie française en terre d'Amérique. Le traité de paix,

---

3. Capitulation.

signé à Paris en 1763, accordait définitivement aux Anglais les anciens territoires de la Nouvelle-France.

Les Canadiens français et les nouveaux occupants anglais durent apprendre à cohabiter dans le respect, et cela ne se fit pas sans quelques difficultés. Le temps se chargea d'user nos vieilles rancunes et de former la société hétérogène[4] que nous sommes devenus. Si les Canadiens français aiment aujourd'hui boire du thé et se gaver de délicieux *roast-beef*, les descendants des conquérants anglais se régalent tout autant de la bonne vieille soupe aux pois, des tourtières et des succulentes tartes au sucre de nos ancêtres. Des Canadiens portent maintenant des noms comme Sylvie Fraser et James Tremblay. Notre langue s'est teintée d'anglicismes qui font du français parlé au Québec une langue unique. C'est l'héritage de la Conquête de 1760 !

S.M.

----

4. Diversifiée, composée d'une population aux origines variées.

Renaud et Stobo

(le faux et le vrai)

Les Renaud de Charlesbourg ont réellement existé. Le premier du nom à s'établir en Nouvelle-France fut effectivement Guillaume Renaud (ou Régneault) de Saint-Jouin-sur-mer (aujourd'hui Saint-Jouin-Bruneval, en Normandie, France). Il arriva au Canada en 1665 comme simple soldat dans la compagnie de la Colonelle du régiment de Carignan-Salières et fut libéré de l'armée deux années plus tard. Il occupa ensuite un poste de domestique chez Chartier de Lotbinière, le lieutenant-général de la sénéchaussée[1] de Québec. En 1668, il épousa Marie de Lamarre et s'établit dans le village de Charlesbourg où il mourut en 1709. Il aurait eu neuf enfants, dont Louis Renaud, le grand-père du héros de ce livre. Quatre fils naquirent de l'union de Louis avec Marie Madeleine Bédard, mais aucun d'eux ne portait le prénom de Michel. Par considération envers les descendants des Renaud de

---

1. Tribunal du sénéchal. Le sénéchal était un officier nommé par le roi.

Charlesbourg, j'ai choisi un prénom fictif. Quant à mon héros, Guillaume, il est ma propre création.

Robert Stobo était vraiment un espion anglais d'origine écossaise. Par deux fois, en 1757, il tenta en vain de s'évader de sa prison de Québec. Il fut traduit devant la cour martiale[2], qui lui imposa une peine de mort. Dans l'attente que le roi de France confirme ce verdict, le prisonnier sut se faire des amis alliés parmi les Français et il put jouir de plus de liberté. Il en profita pour observer et prendre des notes sur le système de défense et la configuration géographique de la ville de Québec. En mai 1759, Robert Stobo réussit sa troisième tentative d'évasion et rejoignit l'armée anglaise. L'annonce qu'un espion anglais s'était évadé de Québec était sans doute parvenue aux oreilles du général James Wolfe, ce qui le rappela à Québec. On présume que Wolfe s'est servi des informations de Stobo pour choisir l'anse au Foulon comme lieu du débarquement de ses troupes à l'aube de la bataille des plaines d'Abraham.

Stobo avait-il des contacts à l'intérieur des murs de la ville ? C'est fort probable. Le curé Récher (curé de l'église paroissiale Notre-Dame de Québec en 1759) affirme ce qui suit dans un journal rédigé pendant le siège de Québec : « Une dame prisonnière des Anglais m'a assuré que M. Stobo lui avait montré une lettre

---

2. Tribunal militaire.

qu'un homme de Québec, Français ou Canadien, écrivait aux Anglais pour les informer de ce qui se passe chez nous… » Qui donc était ce traître informateur ? Comment divulguait-il ses renseignements ? C'est ce que je me suis permis d'imaginer.

S.M.

La vitesse du récit

Lorsqu'on raconte une histoire oralement, on adopte différentes vitesses de narration[1]. Sans nous en rendre compte, on résume, on saute d'un élément à l'autre, on revient en arrière, on décrit avec méticulosité[2] puis on accélère, avant de ralentir à nouveau, etc.

L'auteur qui écrit une histoire applique exactement les mêmes procédés, à la différence près qu'il doit maîtriser leurs effets pour maintenir l'attention du lecteur. L'auteur peut utiliser les procédés décrits ci-dessous et les alterner tout au long de son histoire.

La narration en temps réel

Dans ce type de narration, le temps qui s'écoule pendant la lecture et le temps qui s'écoule pendant la scène que nous lisons sont équivalents. C'est souvent le cas lorsqu'un auteur rapporte un dialogue :

> — Torrieu de bout de ficelle ! L'armée anglaise a envoyé des renforts ! grince-t-il entre ses dents sans quitter des yeux la silhouette qui s'ap-

---

1. Récit.
2. Précision.

proche dangereusement de leur redoute, l'air menaçant.

—Je te parie un sou que la mère Couture va chercher à te chauffer les oreilles comme jamais...

Un sourire s'étirant sur son visage barbouillé de boue et de bran de scie, Guillaume se retourne vers son capitaine.

Cet extrait correspond à une narration en temps réel.

Le résumé

Le résumé tend à accélérer le temps. L'auteur peut notamment utiliser ce procédé narratif lorsqu'il parle d'un événement passé qui doit être expliqué pour la compréhension de l'intrigue. Quand Sonia Marmen explique le passé du père de Guillaume et les événements du fort Duquesne (chapitre 1), elle fait un résumé.

L'ellipse temporelle

L'ellipse[3] temporelle sert à accélérer ou à ralentir le temps présent. Grâce à ces procédés, l'auteur peut jouer avec l'écoulement du temps au bénéfice de l'action. C'est le cas par exemple dans cette scène où Guillaume prête l'arme de son père à Émeline en croyant qu'elle est vide :

---

3. Omission, coupure dans une suite logique.

—Ne t'en fais pas, il est vide. Tiens, regarde, quand j'appuie sur…

Une détonation terrible ébranle le bâtiment et fait fuir les pigeons qui s'y étaient abrités dans un vacarme qui assourdit le cri d'Émeline. Quand le silence retombe en même temps qu'une pluie de plumes, les deux jeunes entendent les battements de leur cœur tambouriner dans leurs oreilles. Encore sous le choc, Guillaume regarde le pistolet qu'il a laissé tomber à ses pieds. Il n'ose plus bouger. Il voit le trou qu'a fait le projectile dans la terre, à quelques pas seulement d'Émeline.

—Je croyais… je croyais… bégaie-t-il sans arriver à terminer sa phrase.

Entre les deux lignes de dialogue, il ne se passe sans doute qu'une ou deux secondes. Or l'auteure ajoute à cet endroit un paragraphe descriptif qui ralentit l'écoulement du temps tout en installant une ambiance qui donne au lecteur l'impression d'entendre le coup de feu et d'en observer les conséquences. Un peu plus loin, dans la même scène, Guillaume et Émeline s'échappent de la grange en courant :

Vite, il rebrousse chemin, attrape son amie par le bras et l'entraîne dans sa fuite. Ensemble, ils traversent une cour, tournent l'angle d'une maison et s'engouffrent dans un étroit passage qui les mène jusque dans la rue Saint-Jean.

En temps réel, combien de minutes faut-il pour effectuer cette course ? Plusieurs, sans aucun doute. Pourtant, pour lire ce court paragraphe, il ne faut qu'entre dix et quinze secondes. Le temps a été accéléré au bénéfice de l'action, la rendant beaucoup plus palpitante.

L'ellipse narrative

On rencontre souvent ce genre de phrase dans un récit : « Quelques jours plus tard… ». L'auteur fait de grands sauts dans le temps tout simplement parce que les actions qui se déroulent pendant ce temps ne sont pas en rapport avec l'intrigue qui intéresse le lecteur. Dans *Un espion dans Québec*, la transition entre le cinquième chapitre et le sixième est une ellipse narrative. En effet, à la fin du cinquième chapitre, Guillaume quitte *in extremis*[4] les remparts ; au début du sixième chapitre, il déambule dans les ruines de la vieille ville. Le lecteur ne sait pas ce qui s'est passé entre ces deux scènes.

L'auteur dispose donc de plusieurs outils – procédés narratifs – pour ajuster à sa guise la vitesse de son récit. Son objectif est cependant toujours le même : raconter son histoire de façon à garder l'attention du lecteur.

A.P.

---

4. De justesse…

La quête

En plus d'être doté d'un passé, de défauts, de qualités, d'un caractère forgé par ses expériences, le personnage principal d'un roman (ici, il s'agit bien entendu de Guillaume Renaud) doit suivre un objectif qui dirigera sa quête tout au long du récit. Cet objectif doit être relativement difficile à atteindre, sans quoi l'histoire ne serait pas intéressante. Dans notre vie de tous les jours, nous poursuivons une multitude d'objectifs pas très romanesques : manger, s'habiller, réussir un examen... Dans un roman, le personnage poursuit quelques objectifs, dont un très important.

Dans le roman de Sonia Marmen, Guillaume Renaud apprend rapidement qu'un complot se trame dans les murs de la ville et que la sécurité de Québec est menacée. Dénoncer ce complot (pour blanchir la réputation de sa famille), voilà ce qui devient rapidement sa **quête principale**.

Si l'on considère le personnage principal comme le **protagoniste**, on peut également parler d'un **antagoniste**[1], soit la personne qui s'oppose au but du

---

1. Adversaire.

personnage principal ou tente de l'empêcher de poursuivre sa quête.

Pendant la plus grande partie de *Un espion dans Québec*, le lecteur croit que Giffard est un opposant à Guillaume Renaud. Même si le dénouement nous apprend le contraire, on peut considérer Giffard comme antagoniste, car il nuit à Guillaume et à sa réputation, au point que le jeune homme le soupçonne d'avoir trahi son père.

Le cas de Charles Giffard est particulièrement intéressant. Non seulement ne s'agit-il pas d'un véritable antagoniste (il est finalement du côté de Guillaume), mais en plus son histoire est palpitante. D'abord considéré par Guillaume comme un arriviste[2] espérant prendre la place de son père qu'il a laissé tomber lors d'un procès, il se révèle en fait être l'ami le plus cher de ce dernier. Depuis le début, Giffard joue un double jeu afin de coincer Saint-Amant !

Plus la quête du protagoniste est palpitante et bien racontée, moins on a envie de fermer le livre et d'éteindre la lumière...

A.P.

---

2. Personne prête à tout pour atteindre son but.

Sonia Marmen
Écrivaine

Sonia Marmen est née de parents québécois en 1962 à Oakville, en banlieue de Toronto. Après avoir déménagé à Asbestos, en Estrie, à Aylmer, en Outaouais, puis à Sydney, en Nouvelle-Écosse, c'est à Sorel qu'elle finit de grandir sagement. Elle choisit comme profession la denturologie, qu'elle pratiquera pendant quinze années, confortablement installée avec mari et enfants dans une petite vie sans histoires... apparentes, cela va sans dire. Car des histoires, elle en invente suffisamment pour garnir une bibliothèque imaginaire avant d'oser pousser la porte du monde divertissant de l'écriture. Depuis toujours, sa nature autodidacte[1] la pousse à explorer tout ce qui pique sa curiosité. Elle développe rapidement une passion pour l'histoire et Clio[2] s'impose comme sa muse. En moins de deux ans, elle publie aux Éditions JCL une saga de quatre romans, *Cœur de Gaël*, distribuée partout dans la

---

1. Elle préfère s'instruire elle-même, sans professeur.
2. Muse de la Poésie épique et de l'Histoire.

francophonie et traduite en allemand. Elle conquiert de nouveau le cœur de ses lecteurs en 2007 avec *La fille du pasteur Cullen*. Et elle n'a nullement l'intention de s'arrêter là…

S.M.

Sonia Marmen

Table des matières

DANS LA MÊME COLLECTION:

Pour en savoir plus sur les Éditions de la Bagnole:
www.leseditionsdelabagnole.com

**PROTÉGEONS
NOS FORÊTS**

CE DEUXIÈME TIRAGE A ÉTÉ ACHEVÉ D'IMPRIMER
EN SEPTEMBRE 2008
SUR LES PRESSES LEBONFON
À VAL D'OR, QUÉBEC
SUR PAPIER ENVIRO 100 % RECYCLÉ